Cocina selecta

Italiana

Más de 175 exquisitas recetas

Grupo Editorial Tomo, S.A. de C.V.,
Nicolás San Juan 1043,
03100 México, D.F.

© Tasty Italian

Published by:
R&R Publications Marketing Pty Ltd
ABN 78 348 105 138
PO Box 254, Carlton North, Victoria 3054 Australia

© Anthony Carroll

©2011, Grupo Editorial Tomo, S.A. de C.V.
Nicolás San Juan 1043, Col. Del Valle, 03100, México, D.F.
Tels. 5575.6615, 5575.8701 y 5575.0186 Fax: 5575.6695
http://www.grupotomo.com.mx
ISBN-13: 978-607-415-258-6
Miembro de la Cámara Nacional de la Industria Editorial No. 2961

Traducción: Lorena Hidalgo Zebadúa
Diseño de portada: Karla Silva
Formación tipógrafica: Armando Hernández
Supervisor de producción: Silvia Morales

Este libro se publicó conforme al contrato establecido entre
R&R Publications Marketing Pty Ltd y
Grupo Editorial Tomo, S.A. de C.V.

Impreso en México - Printed in Mexico

cocina selecta

contenido

introducción

Se han publicado muchos libros sobre cocina italiana porque se ajusta muy bien al estilo de vida y a la dieta actuales —es fresca, saludable, informal y práctica—. Tiene todos los elementos que en la actualidad necesitamos para una cena informal en casa.

No obstante, para empezar, vale la pena poner estos alimentos en contexto conociendo cómo inició este estilo de cocina. Así que a continuación, una muy breve lección de historia y geografía.

Donde comenzó todo

Italia, después de la caída del Imperio Romano en el año 486 d.C., era más un grupo de regiones conquistadas que un país. Fue hasta 1860 cuando se unificó, y se convirtió en la moderna República hasta después de la Segunda Guerra Mundial.

Hoy, Italia está conformada por 20 regiones (incluyendo Sicilia y Cerdeña). Cada una cuenta con sus propias características geográficas y climáticas que van desde el frío norte alpino hasta la cálida costa del sur. Cada región cuenta con su propia historia política y social. Con el paso de los siglos, estas diferentes historias han contribuido a la creación y al refinamiento de las cocinas regionales.

Generalmente, hay pequeñas variaciones del mismo platillo en la misma región, pero también existen cambios más importantes, que pueden considerarse las grandes divisiones gastronómicas de Italia, siendo el aceite y la mantequilla el ejemplo más importante. Aunque el aceite de oliva se ha convertido en el condimento estándar de la cocina italiana, la mantequilla aún se usa con más frecuencia en el norte que en el sur.

También, desde el punto de vista socioeconómico, los hábitos alimenticios italianos, desde la época romana, sugieren que las comidas de las clases sociales menos acomodadas estaban conformadas principalmente por un platillo, mientras que en las mesas de las clases ricas se servía más de un plato.

Los cambios que tuvieron lugar en Italia después de la Segunda Guerra Mundial también han influido en los hábitos alimenticios locales. La pasta seca, que se volvió popular en Nápoles hacia finales del siglo XVIII, se ha apoderado del resto de la península italiana.

Así mismo, se ha revivido lo que en algunos libros de recetas de comida italiana a veces llaman cocina "más pobre" o comida campesina. De una forma más bien romántica, estas recetas traen a la memoria imágenes de tiempos pasados. Ése es un elemento clave de la popularidad actual de la comida italiana en todo el mundo —muchos buenos restaurantes prefieren la cocina tradicional—, y lo que alguna vez fue la comida para la clase obrera ahora se considera elegante cocina provincial de temporada, con un énfasis casi obsesivo en la autenticidad de los ingredientes. Debido al amor de Italia por la comida de estación perfecta, los mercados tradicionales siguen siendo el centro de atención de famosos chefs y turistas gastronómicos.

La comida italiana, en la mente de algunas personas, es sinónimo sólo de pasta. Es cierto que la pasta es muy popular en Italia, pero también el arroz, que se cosecha en el norte del país. Así mismo, las sopas son de gran consumo, aunque varían de región en región y de estación en estación. La carne, el pescado, los crustáceos y los mariscos con verduras, cocinados o servidos como ensalada, conforman el *secondo piatto* (segundo plato). La fruta fresca y una variedad de quesos complementan la comida, que entonces se termina con una taza de café espresso.

El cambio en los hábitos alimenticios

Tradicionalmente, en Italia la comida más importante era el lunch. Como la mayoría de las oficinas, tiendas y escuelas cerraban de 1 a 4 p. m., y muchas oficinas públicas terminaban labores a las 2 p. m., la comida en una casa italiana se servía en algún momento después de la 1 p. m. La Italia de la posguerra adoptó los hábitos laborales de Occidente, y ahora sólo tiene una hora de comida, aunque ésta sigue siendo la más importante. Ya sea en casa, en el restaurante a la vuelta de la esquina de la oficina o en la *mensa* (cantina), generalmente la comida está conformada por varios platos: *primo piatto* (primer tiempo) de sopa, arroz o pasta, seguido del *secondo piatto* de carne o pescado con quesos, vegetales o ensalada, y por último, fruta.

En la noche, después de las 8 p. m., había una versión más ligera de la

comida. La pasta era sustituida por una sopa que contenía muy poca pasta, cocida sólo unos cuantos minutos, y una *frittata* reemplazaba a la carne. En la noche, el énfasis sigue estando en alimentos que se digieren con facilidad: verduras, ensaladas, quesos y frutas. El pan forma parte de todas las comidas.

Los italianos prefieren tomar un desayuno muy ligero, un capuchino o *espresso*, o quizá una rebanada de pastel de la cafetería local de camino al trabajo. El *caffè latte* con galletas, una gruesa rebanada de pastel hecho en casa, o pan con mantequilla y mermelada conforman un desayuno italiano más casero, y definitivamente, el café es el combustible para iniciar el día.

La historia de la gastronomía italiana

La gastronomía italiana data de la época romana, y consiste en una larga lista de alimentos "importados" y "exportados".

Los primeros romanos eran pastores y agricultores que pronto aprendieron a evaporar el agua del mar para producir sal para su ganado. Cuando la producción de sal excedió sus necesidades, empezaron a exportarla a los asentamientos griegos del sur, y a los etruscos del norte. Fue el inicio de un comercio muy reditable, como lo atestigua el nombre de una de las principales vías que conducen a Roma, la Via Salaria (Vía de la Sal), que utilizaban los exportadores de sal.

Para el siglo II a. C., la cocina romana se volvió más compleja. Las hierbas y las especias que los legionarios romanos trajeron a Roma se sumaron a los alimentos básicos, y se crearon nuevas salsas, entre ellas la salsa garo (a base de pescado) y la agridulce, que se usan aún hoy día. Estas salsas se añadían de manera indiscriminada a la mayoría de los alimentos.

Los extravagantes y excesivos hábitos alimenticios y de cocina de los nuevos ricos de los últimos días del

Imperio Romano son gráficamente representados en el clásico de Fellini, *El satiricón*, una película que bien vale la pena ver para conocer el exceso que se disfrutaba en el ocaso del imperio. Italia volvería a esos tiempos de exceso en el Renacimiento, otra famosa época de increíble extravagancia gastronómica.

Los cruzados llevaron el trigo sarraceno a Italia y después a Europa. También volvieron a introducir los limones y muchas especias que conocían los romanos. Los viajes de Marco Polo a oriente condujeron a la apertura de una ruta directa a las especias del Lejano Oriente, y sus compatriotas, los venecianos,

volvieron acaudalados importadores y exportadores de especias y de café. Con el descubrimiento del Nuevo Mundo, los pimientos, los jitomates, las papas y muchos otros alimentos llegaron a Italia y se volvieron emblemas de la tradición culinaria italiana que hoy conocemos. El maíz, que ahora se utiliza para hacer la polenta, fue aceptado por los paladares italianos en 1650. A finales del siglo XVI, los hábitos culinarios y alimenticios de los italianos llegaron a la madurez, pero sólo las travesías y los escritos gastronómicos de finales del siglo XIX y mediados del XX encendieron la llama del amor del mundo por esta cocina.

cocina selecta

aperitivos y sopas

PIZZA DE PAPA Y CEBOLLA MORADA CON ACEITE CON CHILE

1 porción de masa para pizza
(ver página 168)

2½ cucharaditas de aceite con chile
(ver página 170)

4 papas, finamente rebanadas

2 cebollas moradas chicas, finamente
rebanadas

3 tallos de romero, sin hojas y picados

100g de hojas de rúcula

40g de queso parmesano, rallado

Preparación

1 Precalentar el horno a 250°C. Cortar la masa en 8 piezas del mismo tamaño.

2 Espolvorear una charola para hornear con harina. Enharinar la superficie de trabajo, tomar una pieza
de masa y moldear con las manos hasta formar un disco grueso.

3 Extender con el rodillo la masa en una dirección, girar 90° y volver a extender con el rodillo en esa dirección,
repitiendo el proceso hasta formar un círculo de 8cm.

4 Colocar la masa en una charola para hornear y barnizar con el aceite con chile, colocar encima las papas,
las cebollas y el romero. Repetir con el resto de la masa y la cubierta, y hornear durante 5-10 minutos, o
hasta que dore. Espolvorear con rúcula y queso parmesano, bañar con un poco de aceite y servir. **Rinde 8
porciones**

En lugar de rúcula y queso parmesano, pueden usarse tomates deshidratados, queso bocconcini y albahaca.

TERRINA DE POLLO, PIMIENTO Y NUEZ

Ingredientes

250g de pechuga de pollo molida

250g de muslos de pollo molidos

60g de nueces enteras
más 60g de nueces picadas

1 cebolla mediana, finamente rebanada
y salteada

1 zanahoria mediana,
finamente rallada

1 diente de ajo, machacado

½ taza de pan molido

Sal y pimienta

½ taza de caldo de pollo

1 huevo grande, ligeramente batido

4 rebanadas de tocino

1 pimiento verde mediano,
cortado en tiras delgadas

1 pimiento rojo mediano,
cortado en tiras delgadas

Preparación

1 Precalentar el horno a 180°C. En un tazón grande, revolver el pollo, las nueces picadas, la cebolla,
la zanahoria, el ajo, el pan molido, la sal y la pimienta, el caldo y el huevo.

2 Forrar la base de un molde para terrinas con las rebanadas de tocino y cubrir el fondo con la mitad de la
mezcla de pollo. Oprimir con firmeza con un tenedor. Después, colocar una capa de nueces y luego una
capa de pimientos. Agregar el resto de la mezcla de pollo y oprimir con el tenedor para encerrar
la capa del centro. Cubrir con más tiras de tocino y sellar el molde con papel aluminio.

3 Colocar en agua y hornear durante 35-40 minutos. Cuando se enfríe, meter al refrigerador y dejar toda
la noche. Servir con salsa de pimiento rojo asado. **Rinde 4 porciones**

DIP DE PIMIENTO

Ingredientes

2 pimientos grandes
(de cualquier color)

125g de tomates semideshidratados,
descorazonados

½ taza de perejil, finamente picado

½ cucharadita de pimienta negra, molida

1 diente de ajo, machacado

½ taza de yogur griego

1½ cucharadas de aceite
de oliva extra virgen

Preparación

1 Precalentar el horno a 200°C. Colocar los pimientos en una charola para hornear y asar durante
20-30 minutos, hasta que se suavicen. Una vez fríos, pelar, quitar las semillas y secar con una toalla de papel.

2 Colocar los pimientos en el procesador de alimentos con el resto de los ingredientes, excepto el yogur y el
aceite de oliva. Agregar el yogur y el aceite de oliva poco a poco mientras se licua hasta que el dip adquiera
la consistencia adecuada.

3 Enfriar en el refrigerador durante una hora en un recipiente tapado. Servir con crudités de verdura y pan.
Rinde 4 porciones

CHAMPIÑONES CON SALSA DE CREMA DE LIMÓN

Ingredientes

20g de mantequilla

1 cucharada de aceite de oliva

1 diente de ajo, molido

250g de champiñones,
en rebanadas de 15mm

1 cucharada de jugo de limón

¼ taza de crema

½ manojo de cebollines,
finamente rebanados

Sal y pimienta recién molida

1 porción de polenta
(ver página 170)

Preparación

1 Calentar la mantequilla con el aceite en una sartén, agregar el ajo y saltear durante 2 minutos. Agregar
los champiñones y saltear durante 1-2 minutos de cada lado.

2 Añadir el jugo de limón, la crema, el cebollín, la sal y la pimienta, y cocinar durante 1 minuto, hasta que
se mezcle.

3 Servir con polenta. **Rinde 4 porciones**

ANTIPASTO DE BERENJENA

Ingredientes

Ingredientes

2 berenjenas, cortadas en rebanadas de 2cm

¼ taza de aceite de oliva

150g de queso mozzarella, rebanado

1 cucharada de alcaparras

4 pepinillos, partidos en mitades a lo largo

2 jitomates Saladet, rebanados

12 rebanadas de prosciutto (jamón serrano)

4 rebanadas de pan de centeno o de trigo

4 hojas de lechuga

4 cucharadas de chutney o relish (conserva agridulce de frutas o verduras)

Preparación

1 Barnizar ligeramente las berenjenas con aceite de oliva. Colocar en la parrilla precalentada durante 4-5 minutos de cada lado, hasta que se cuezan parejas.

2 Dividir las berenjenas en cuatro porciones de tres o cuatro rebanadas y colocar una capa sobre otra en un platón extendido resistente al calor. Cubrir con queso mozzarella y asar a la parrilla durante 4-5 minutos, o hasta que se funda el queso.

3 Colocar la berenjena en cuatro platos. Bañar con las alcaparras y servir acompañadas de pepinillos, tomates, prosciutto, pan, lechuga y chutney. **Rinde 4 porciones**

CALAMARES RELLENOS DE QUESO

Ingredientes

4 calamares chicos, sin cabeza ni tentáculos

2 cucharadas de aceite de oliva

1 diente de ajo, machacado

400g de jitomates enlatados, escurridos y machados

1 tallo de romero, sin hojas y picado

¼ taza de vino blanco seco

½ cucharadita de azúcar

Pimienta negra recién molida

Relleno

50g de pan molido hecho con pan duro

½ taza de perejil fresco, picado

125g de queso ricotta

40g de queso parmesano, rallado

1 ramita de orégano, sin hojas y picado

1 diente de ajo, machacado

1 pizca de pimienta de Cayena

1 huevo, ligeramente batido

Preparación

1 Limpiar los calamares. Revolver los ingredientes del relleno, dividir la mezcla en cuatro porciones iguales y rellenar los calamares. Cerrar los extremos con palillos o brochetas.

2 Calentar aceite en una sartén y freír los calamares de 3 a 4 minutos de cada lado, o hasta que se doren. Agregar el ajo, los tomates, el romero, el vino, el azúcar y la pimienta negra. Bajar la flama y cocinar a fuego lento durante 20-30 minutos, o hasta que los calamares se suavicen. Para servir, quitar los palillos, rebanar los calamares y acompañar con salsa. **Rinde 4 porciones**

MOZZARELLA CON AJO Y ALCAPARRAS

Ingredientes

500g de queso mozzarella fresco

8 bayas de alcaparra

24 aceitunas negras

2 ramitas de orégano fresco,
  sin hojas y sin tallo

Aderezo

2 dientes de ajo, molidos

4 cucharadas de aceite de oliva

2 cucharadas de vinagre balsámico

2 ramas de orégano fresco,
  sin hojas y picadas

1 cucharadita de sal

½ cucharadita de pimienta negra
  molida

Preparación

1 Cortar el queso mozzarella en rebanadas de 1cm. Colocar en un platón.

2 Poner todos los ingredientes del aderezo en un tazón, y revolver. Bañar las rebanadas de mozzarella con el aderezo.

3 Adornar con las bayas de alcaparra, las aceitunas y el orégano fresco, y servir. **Rinde 4 porciones**

MELÓN CON PROSCIUTTO

1 melón

250g de prosciutto, en rebanadas
(jamón serrano) muy delgadas

1   Partir el melón a la mitad a lo largo y sacar las semillas. Pelar y desechar la cáscara, y picar la pulpa. Cortar cada rebanada de prosciutto a lo largo en tres tiras y envolver las piezas de melón con cada tira. Colocar en un platón, cubrir y refrigerar. **Rinde 4 porciones**

ALCACHOFAS CRUJIENTES CON PARMESANO

2 alcachofas globo

100g de queso parmesano, rallado

1 taza de pan molido hecho con pan duro

3 huevos, ligeramente batidos

1 taza de aceite de oliva

1   Quitar y desechar las hojas duras externas de las alcachofas (las primeras dos capas). Colocar las alcachofas en una cacerola con agua hirviendo con un poco de sal, bajar la flama y hervir durante 30 minutos, o hasta que se sientan suaves al picarlas con un tenedor.

2   Escurrir las alcachofas y apartar hasta que se enfríen lo suficiente para manejarlas. Quitar las hojas de las alcachofas y reservar, dejando los corazones intactos. Partir los corazones en cuartos.

3   Colocar el queso parmesano y el pan molido en un recipiente, y revolver. Bañar la mitad de las hojas y todos los corazones en el huevo batido, y revolcar en la mezcla de pan molido hasta cubrir bien.

4   Calentar bastante aceite en una sartén hasta que un cubo de pan se dore en 50 segundos. Freír las hojas y los corazones, por tandas, durante 2 minutos o hasta que se doren y estén crujientes. Escurrir en servilletas de papel y servir. **Rinde 4 porciones**

TORTITAS DE PESCADO

Ingredientes

500g de pescadilla

3 cebollas de cambray, finamente rebanadas

2 ramitas de eneldo, picadas

ralladura de 2 limones

2 cucharaditas de jugo de limón

½ taza de harina

2 huevos, ligeramente batidos

pimienta recién molida y sal

2 cucharadas de aceite de oliva

Preparación

1   Colocar la pescadilla en el procesador de alimentos y procesar hasta que esté bien revuelta.

2   Pasar la mezcla a un tazón y agregar la cebolla de cambray, el eneldo, la ralladura de limón, la harina, los huevos, la sal y la pimienta, y revolver.

3   Calentar aceite en una sartén, añadir la mezcla (1 cucharada por tortita) y freír hasta que se doren de cada lado.

4   Servir con rebanadas de limón. **Porciones 4**

PULPOS BABY MARINADOS EN ACEITE DE OLIVA CON ORÉGANO

⅓ taza de aceite de oliva

ralladura de 1 limón

2 cucharadas de jugo de limón

3 cebollas de cambray, finamente rebanadas

2 ramas de orégano, sin hojas y picadas

pimienta recién molida y sal

750g de pulpos baby, limpios

100g de hojas para ensalada

Preparación

1 En un recipiente, revolver el aceite de oliva, la ralladura de limón, el jugo de limón, las cebollas de cambray, el orégano, la sal y la pimienta. Agregar el pulpo y dejar marinar durante 1 hora.

2 Calentar la parrilla, barnizar ligeramente con aceite, añadir el pulpo y cocinar (bañando con la marinada) durante 2-3 minutos, o hasta que esté suave.

3 Servir en una cama de hojas para ensalada. **Rinde 4 porciones**

CARPACCIO DE SALMÓN AHUMADO

Ingredientes

350g de salmón ahumado en rebanadas

¼ taza de aceite de oliva extra virgen

2 cucharadas de jugo de limón

1 cebolla morada chica, finamente picada

2 cucharaditas de alcaparras chicas, enteras

¼ taza de perejil, en trozos

pimienta negra recién molida

Preparación

1 Colocar el salmón en platos individuales.

2 Para preparar el aderezo, revolver en un tazón el aceite, el jugo de limón, la cebolla y las alcaparras, y batir con el tenedor.

3 Bañar el salmón con el aderezo, espolvorear con el perejil y las alcaparras, y servir. Adornar con más alcaparras. **Rinde 4 porciones**

PULPOS BABY MARINADOS EN ACEITE DE OLIVA CON ORÉGANO

FRITTATA DE CALABAZA, PAPA Y ROMERO ASADOS

300g de calabaza

250g de papas

250g de camote

1 cucharada de aceite de oliva

2 ramitas de romero, sin hojas y en trozos

½ cucharadita de sal de mar

4 huevos

½ taza de crema

½ taza de leche

1 diente de ajo, molido

40g de queso parmesano, rallado

pimienta negra recién molida

Preparación

1 Precalentar el horno a 200°C.

2 Pelar la calabaza, las papas y el camote, y cortar en cubos de 2cm. Colocarlos en una charola para horno junto con el aceite, la mitad del romero y la sal de mar; revolver y hornear durante 20 minutos, o hasta que se cuezan. Bajar la temperatura a 180°C.

3 Engrasar ligeramente una charola para 12 muffins.

4 En un tazón, revolver los huevos, la crema, la leche, el ajo, el queso, el resto del romero, un poco más de sal y pimienta. Agregar la papa, la calabaza y el camote.

5 Verter en la charola para muffins y hornear durante 30-35 minutos. **Rinde 12 porciones**

TORTITAS DE MAÍZ Y POLENTA

Ingredientes

1½ tazas de agua

½ cucharadita de sal

½ taza de polenta instantánea (puré de sémola de maíz italiana)

½ taza de granos de elote o ½ pimiento rojo, picado

1 cebolla de cambray, finamente rebanada

¼ taza de perejil, finamente picado

1 diente de ajo chico, molido

⅓ taza de harina

¼ cucharadita de polvo para hornear

1 huevo, ligeramente batido

sal y pimienta

2 cucharadas de aceite de oliva

Preparación

1 Poner a hervir agua con sal en una cacerola; añadir la polenta poco a poco, revolviendo continuamente, durante 3 minutos, hasta que la polenta espese y se pegue.

2 Apagar la flama y agregar los granos de elote o el pimiento, la cebolla de cambray, el perejil y el ajo. Revolver bien. Pasar a un tazón y dejar enfriar.

3 Cernir la harina y el polvo para hornear y revolver con la mezcla de la polenta. Añadir el huevo, la sal y la pimienta.

4 Calentar el aceite en una sartén a fuego medio-alto y colocar cucharadas de la mezcla en la sartén. Freír durante 1-2 minutos de cada lado.

5 Servir con pesto de crème fraîche (ver página 170). **Rinde 4 porciones**

CALAMARES MARINADOS CON ADEREZO DE LIMÓN Y HIERBAS

Ingredientes

700g de aros de calamar

⅓ taza de jugo de limón

3 dientes de ajo, machacados

½ taza de aceite de oliva, más
   1 cucharada para cocinar

Aderezo

¼ taza de jugo de limón

⅓ taza de aceite de oliva

¼ taza de perejil, picado

1 diente de ajo, machacado

1 cucharadita de mostaza de Dijon

sal y pimienta

Preparación

1   Colocar los calamares, el jugo de limón, el ajo y el aceite en un tazón y marinar cuando menos durante 3 horas. Si el tiempo lo permite, dejar marinar toda la noche.

2   Colocar todos los ingredientes del aderezo en un tazón y batir bien con un tenedor hasta que el aderezo espese ligeramente.

3   Calentar 1 cucharada de aceite en una sartén, agregar los calamares y saltear durante algunos minutos, hasta que se cuezan parejos. Otra opción es asar los calamares en la parrilla.

4   Servir los calamares bañados con el aderezo de limón y hierbas. **Rinde 4 porciones**

CAMARONES CÍTRICOS CON AJO, CHILE Y PEREJIL

Ingredientes

1kg de camarones, pelados,
   pero dejándoles la cola

4 cucharadas de aceite de oliva

1 cucharada de jugo de limón

2 dientes de ajo, machacados

2 chiles rojos, sin semillas y finamente picados

¼ taza de perejil, picado

½ taza de harina

Preparación

1   Abrir el lomo de los camarones y sacar la vena.

2   Mezclar la mitad del aceite, el jugo de limón, el ajo, el chile y el perejil en un tazón. Agregar los camarones, revolver bien y dejar marinar durante 2-3 horas.

3   Calentar el resto del aceite en una sartén grande; revolcar los camarones en la harina, y freír rápido en el aceite durante 2-3 minutos. Escurrir en servilletas de papel absorbente.

4   Servir con rebanadas de limón y más perejil. **Rinde 4 porciones**

ESPÁRRAGOS CON PECORINO Y PANCETTA

Ingredientes

500g de espárragos

jugo de 1 limón

⅓ taza de aceite de oliva extra virgen

sal de mar

pimienta negra recién molida

8 rebanadas delgadas de pancetta, en trozos (tocino)

40g de queso pecorino o de cabra, rallado

Preparación

1 Cortar las puntas gruesas de los espárragos; cocer al vapor los espárragos durante 4 minutos, hasta que estén suaves pero crujientes. Colocar bajo el chorro de agua fría hasta que se enfríen, después secar con toallas de papel absorbente.

2 Para el aderezo, colocar el jugo de limón en un tazón y agregar despacio el aceite, batir con el tenedor hasta que espese. Sazonar con sal y pimienta.

3 Bañar los espárragos con el aderezo y servir espolvoreados con pancetta y queso pecorino o de cabra.
Rinde 4 porciones

SARDINAS MARINADAS

Ingredientes

500g de sardinas frescas

1 cebolla grande, rebanada en aros delgados

1 zanahoria, finamente rebanada

¼ taza de perejil, picado

½ taza de vinagre de vino blanco

½ taza de agua

¼ cucharadita de canela molida

1 hoja de laurel

6 granos de pimienta

1 ramita de tomillo, sin hojas y sin tallo

½ cucharadita de sal

2 cucharadas de aceite de oliva

Preparación

1 Precalentar el horno a 180°C. Cortar las aletas y deshuesar el pescado. Dejar la cabeza y la cola intactas. Limpiar con una toalla de papel absorbente húmeda. Colocar el pescado en una fuente de horno y cubrir con los aros de cebolla, la zanahoria y el perejil.

2 Agregar el resto de los ingredientes, cubrir con la tapa o el papel aluminio y hornear durante 25 minutos.

3 Dejar enfriar completamente antes de servir como tapas. **Rinde 4 porciones**

BRUSCHETTA DE TOMATE Y ALBAHACA

Ingredientes

½ taza de aceite de oliva

2 dientes de ajo, machacados

1 baguette, rebanada en diagonal

3 jitomates Saladet, finamente picados

½ taza de albahaca o perejil, picado

Pimienta negra recién molida

Preparación

1 Precalentar el horno a 180°C. Revolver el aceite y el ajo. Barnizar las rebanadas de pan abundantemente con la mezcla de aceite y colocar en una charola para hornear engrasada. Hornear durante 15 minutos, o hasta que se dore el pan. Reservar para enfriar.

2 Colocar los jitomates, la albahaca o el perejil y la pimienta negra en un recipiente, y revolver bien. Justo antes de servir, colocar la mezcla de jitomate en las rebanadas de pan tostado. **Rinde 4 porciones**

Para hacerla una comida ligera, servir un poco de queso parmesano rallado o queso mozzarella y tostar en la parrilla hasta que se funda el queso. Servir con ensalada.

VEGETALES A LA PARRILLA CON PESTO

¼ taza de aceite de olivo

1 pimiento, en trozos

1 berenjena, en rebanadas

2 cebollas moradas, en cuartos

2 calabacitas italianas, rebanadas a lo largo

1 camote chico, finamente rebanado

1   Engrasar y calentar la parrilla. Barnizar las rebanadas de verduras con un poco de aceite de oliva, y cocinar a la parrilla hasta que se cuezan y se doren bien.

2   Servir con pesto o aiolí de albahaca (ver página 168). **Rinde 4 porciones**

SOPA DE ALUBIAS, GARBANZOS, HABAS Y VERDURAS

Ingredientes

½ taza de alubias, remojadas toda la noche

½ taza de garbanzos, remojados toda la noche

3 cucharadas de aceite de oliva

1 cebolla mediana, picada

1 diente de ajo, machacado

1 poro, sólo el bulbo, picado

1½ litros de caldo de verduras

2 tallos de apio, rebanados

1 zanahoria, picada

2 ramas de tomillo fresco, sin hojas y sin tallos

1 bulbo de hinojo chico, rallado

2 calabacitas italianas, ralladas

90g de habas

3 jitomates Saladet medianos, pelados, sin semillas y picados

sal y pimienta negra recién molida

Preparación

1 Escurrir las alubias y los garbanzos. Colocar en una cacerola, cubrir con agua y hervir durante 15 minutos. Tapar y dejar hervir a fuego lento durante 30 minutos más antes de volver a escurrir.

2 Calentar el aceite en una cacerola y agregar la cebolla, el ajo y el poro. Saltear hasta que estén suaves. Añadir el caldo, las alubias y los garbanzos. Tapar y dejar hervir a fuego lento durante 45 minutos, hasta que estén suaves. Agregar el resto de los ingredientes, excepto los sazonadores, y cocinar a fuego lento durante 15 minutos más.

3 Sazonar con sal y pimienta, y servir. **Rinde 4 porciones**

SOPA DE BERENJENA ASADA

Ingredientes

800g de berenjenas, en mitades

3 pimientos rojos, en mitades

1 cucharadita de aceite de oliva

2 dientes de ajo, machacados

3 jitomates Saladet, pelados y picados

2 tazas de caldo de verduras

2 cucharaditas de granos de pimienta machacados

Preparación

1 Colocar la berenjena y el pimiento del lado de la piel sobre la parrilla precalentada, y asar durante 10 minutos, o hasta que estén suaves y la piel se haya ennegrecido. Quitar la piel negra y picarlos en trozos grandes.

2 Calentar aceite en una cacerola grande a fuego medio. Agregar el ajo y los jitomates y saltear, sin dejar de mover, durante 2 minutos. Añadir la berenjena, el pimiento, el caldo y la pimienta negra, y dejar hervir a fuego lento durante 4 minutos. Quitar la cacerola del fuego y reservar para que se enfríe ligeramente.

3 Por tandas, colocar la mezcla en el procesador de alimentos o en la licuadora y procesar hasta que resulte una mezcla homogénea. Poner la sopa en una cacerola limpia, dejar hervir a fuego medio durante 3-5 minutos, o hasta que se caliente bien. **Rinde 4 porciones**

SOPA DE ALUBIAS, GARBANZOS,
HABAS Y VERDURAS

SOPA DE FRIJOLES VARIOS

90g de frijoles rojos

90g de alubias blancas

2 cucharadas de aceite de oliva

60g de tocino, picado

1 cebolla, picada

1 diente de ajo, machacado

3 tallos de apio, rebanados

2 zanahorias, picadas

2 papas, picadas

6 tazas de caldo de pollo o de verduras

400g de tomates enlatados, escurridos y machacados

¼ de col, en tiras finas

60g de sopa de pasta

¼ taza de hierbas mixtas frescas, picadas

pimienta negra recién molida

40g de queso parmesano, rallado

¼ taza de albahaca fresca

Preparación

1 Colocar todos los frijoles en un tazón. Cubrir con agua y dejar remojando toda la noche. Escurrir.

2 Calentar aceite en una cacerola a fuego medio; agregar el tocino, la cebolla, el ajo y freír, sin dejar de revolver, durante 5 minutos o hasta que se suavice la cebolla. Añadir el apio, las zanahorias y las papas, y cocinar durante 1 minuto más.

3 Incorporar el caldo, los tomates, la col, la sopa de pasta, los frijoles, las hierbas y la pimienta negra. Hervir durante 10 minutos, después bajar la flama y cocinar a fuego lento, revolviendo de vez en cuando, durante 1 hora o hasta que los frijoles estén suaves. Espolvorear con el queso parmesano y la albahaca fresca, y servir. **Rinde 4 porciones**

MINESTRONE CON PAN DE LEVADURA

Ingredientes

1 cucharada de aceite vegetal

6 tiras de tocino sin grasa y sin corteza, picadas

1 cebolla, picada

2 dientes de ajo, picados

150g de zanahorias, finamente rebanadas

1 poro, finamente rebanado

250g de papas, peladas y picadas

5 tazas de caldo de verduras

2 cucharadas de puré de tomate

60g de espagueti seco

sal y pimienta negra

Pan de levadura

250g de harina de trigo integral

250g de harina blanca

½ cucharadita de sal

1 cucharadita de bicarbonato

60g de mantequilla fría, en cubos

¼ taza de perejil fresco, picado

jugo de ½ limón

1 taza de leche entera

Preparación

Sopa

1 Calentar el aceite en una cacerola grande. Agregar el tocino, la cebolla, el ajo, la zanahoria, el poro y la papa, y freír durante 5 minutos o hasta que estén suaves. Incorporar el caldo y el puré de tomate. Dejar hervir a fuego lento, tapado, durante 20 minutos, o hasta que todas las verduras estén suaves. Romper el espagueti en trozos de 2.5cm de largo y añadir a la cacerola. Cocinar durante 10 minutos, o hasta que la pasta esté firme en el centro (al dente). Sazonar al gusto y servir con el pan de levadura.
Rinde 4 porciones

Pan de levadura

1 Precalentar el horno a 200°C. Colocar la harina integral en un tazón; después, cernir la harina blanca, la sal y el bicarbonato; revolver bien. Frotar la mantequilla con los dedos hasta que la mezcla tenga consistencia de pan molido grueso. Agregar el perejil. Añadir el jugo de limón a la leche e incorporar a la mezcla de la harina para formar una masa suave, pero no pegajosa.

2 Amasar ligeramente con el rodillo la masa en una superficie enharinada, y aplanar un poco hasta formar un círculo de 20cm. Colocar en una charola para hornear y marcar una cruz encima. Cocinar en la parrilla superior del horno durante 35-40 minutos, hasta que se esponje bien y se dore.

SOPA DE JITOMATES Y PIMIENTOS ASADOS

3 pimientos rojos o anaranjados, en mitades y sin semillas

1 cebolla, a la mitad, sin pelar

4 jitomates Saladet grandes

4 dientes de ajo, sin pelar

1½ tazas de caldo de pollo o de verduras

1 cucharada de puré de tomate

sal y pimienta negra recién molida

¼ taza de perejil fresco, picado

Preparación

1 Precalentar el horno a 200°C. Colocar los pimientos y la cebolla en una charola para hornear, del lado del corte hacia abajo, y agregar los jitomates y el ajo. Hornear durante 30 minutos o hasta que estén tiernos y bien dorados.

2 Dejar que las verduras y el ajo se enfríen durante 10 minutos; después, pelar. Colocar en el procesador de alimentos con la mitad del caldo, y licuar hasta formar una mezcla homogénea, o usar la licuadora de mano.

3 Poner la mezcla del caldo con verduras en una cacerola de fondo grueso. Añadir el resto del caldo y el puré de tomate, y dejar que suelte el hervor. Sazonar al gusto y espolvorear con el perejil justo antes de servir.
Rinde 4 porciones

SOPA DE PAN, JITOMATE Y PIMIENTO ROJO ASADOS

Ingredientes

1kg de jitomates Saladet

2 pimientos rojos

2 cucharadas de aceite de oliva

3 dientes de ajo, machacados

2 cebollas, finamente picadas

2 cucharaditas de comino molido

1 cucharadita de cilantro molido

4 tazas de caldo de pollo

2 rebanadas de pan blanco, sin corteza y en trozos

1 cucharada de vinagre balsámico

sal y pimienta recién molida

40g de queso parmesano, rallado

Preparación

1 Precalentar el horno a 220°C.

2 Engrasar ligeramente una charola para hornear; agrega el ajo y la cebolla, y hornear durante 5 minutos o hasta que se suavicen. Agregar el comino y el cilantro, y dejar durante 1 minuto más hasta que se mezclen bien.

3 Añadir los jitomates, los pimientos y el caldo a la cacerola; dejar que suelte el hervor y cocinar a fuego lento durante 30 minutos. Agregar el pan, el vinagre balsámico, sal y pimienta, y cocinar durante 5-10 minutos más.

4 Servir con queso parmesano. **Rinde 4 porciones**

SOPA DE CHAMPIÑONES PORCINI

Ingredientes

1 cucharada de champiñones porcinis secos

½ taza de agua hirviendo

2 cucharadas de aceite de oliva

2 dientes de ajo, molidos

1 poro, picado

6 chalotes (parecido al ajo, pero con dientes más grandes), picados

200g de champiñones blancos

350g de champiñones silvestres, incluyendo porcini, shiitake y ostra

2 cucharadas de harina blanca

3 tazas de caldo de pollo, de res o de verduras

1 taza de crema

½ manojo de perejil de hoja lisa, picado

20 hojas de albahaca, rebanadas

4 ramas de orégano fresco, sin hojas y picadas

Sal y pimienta recién molida

Nuez moscada

Preparación

1   Colocar el porcini seco en agua hirviendo y reservar. Cuando los champiñones estén suaves, sacar del agua y reservar. Colar el líquido de los champiñones con una toalla de papel absorbente o un trapo de muselina para quitar la arena y la tierra, y reservar el líquido.

2   Calentar el aceite de oliva y agregar el ajo, el poro y los chalotes, y saltear hasta que se doren, aproximadamente 3 minutos. Rebanar finamente todos los champiñones frescos, añadir a la cacerola y cocinar a fuego muy alto, hasta que los champiñones se suavicen y el líquido se evapore, aproximadamente 6 minutos. Reservar algunos champiñones para adornar.

3   Espolvorear con la harina y revolver bien para que se absorba Agregar el caldo y los porcini junto con el líquido donde se remojaron, y dejar que suelte el hervor, sin dejar de revolver.

4   Una vez que la sopa hierva, bajar la flama y dejar a fuego lento durante 30 minutos. Agregar la crema y dejar hervir a fuego lento durante 5 minutos más, o hasta que espese ligeramente. Añadir la mitad del perejil, la albahaca y el orégano, y sazonar al gusto con sal y pimienta.

5   Servir con un cucharón en tazones individuales, espolvorear con perejil, un poco de nuez moscada y una cucharada de crema, si se desea. **Rinde 4 porciones**

SOPA DE TOMATE Y ALBÓNDIGAS

1 huevo, batido

1 cucharada de salsa de soya

1 cucharada de jerez

½ cebolla chica, picada

1 pieza de jengibre fresco de 1cm, finamente rallado

250g de carne de cerdo o de res magra molida

2 cucharadas de harina de maíz

4 tazas de caldo de res

1 poro, finamente rebanado

4 jitomates maduros, firmes, pelados, sin semillas y picados

½ taza de cilantro fresco, picado

Preparación

1 Mezclar el huevo, la salsa de soya, el jerez, la cebolla y el jengibre en un tazón; agregar la carne y la harina de maíz, revolver bien y reservar.

2 Colocar el caldo en una cacerola grande, agregar el poro y los jitomates, y dejar que suelte el hervor. Cocinar durante 2-3 minutos, y bajar la flama.

3 Agregar cucharaditas copeteadas de la mezcla de carne a la sopa, tapar y dejar que hierva a fuego lento durante 3-4 minutos, o hasta que se cuezan las albóndigas. Servir con el cilantro espolvoreado.
Rinde 4 porciones

SOPA DE INVIERNO DE VERDURAS

Ingredientes

2 cucharadas de aceite vegetal

1 cebolla, rebanada

1 diente de ajo, machacado

2 tallos de apio, picados

2 zanahorias, picadas

1 nabo, picado

400g de tomates enlatados, escurridos y picados

2 cucharadas de puré de tomate

¼ taza de albahaca fresca, finamente picada

1 rama de orégano, sin hojas y picado

1 cucharadita de azúcar

4 tazas de caldo de verduras

100g de pasta de conchitas

200g de frijoles rojos enlatados, escurridos y enjuagados

pimienta negra recién molida

Preparación

1 Calentar el aceite en una cacerola grande, agregar la cebolla, el ajo, el apio, las zanahorias y el nabo; cocinar, revolviendo de vez en cuando, durante 4-5 minutos o hasta que la verdura esté tierna.

2 Incorporar los tomates, el puré de tomate, la albahaca, el orégano, el azúcar y el caldo; dejar que suelte el hervor. Bajar la flama y dejar que hierva a fuego lento durante 30-45 minutos.

3 Agregar la pasta y los frijoles. Sazonar al gusto con pimienta negra y dejar que hierva a fuego lento, destapado, durante 30 minutos. Servir con pan crujiente. **Rinde 4 porciones**

MINESTRONE PIEMONTE

Ingredientes

½ taza de frijoles blancos

½ taza de frijoles bayos

½ taza de garbanzos

4 cebollas blancas, picadas

2 dientes de ajo, molidos

3 cucharadas de aceite de oliva

½ col chica, rebanada

2 tallos de apio, rebanados

2 zanahorias medianas, finamente rebanadas

6 tazas de caldo de res

2 cucharadas de puré de tomate

12 hojas de albahaca, picadas

½ taza de perejil

3 hojas de laurel, frescas de preferencia

sal y pimienta

1 pieza de 100g de corteza de parmesano

4 calabacitas italianas, rebanadas

1 taza de un buen vino tinto

Preparación

1 Una noche antes, revolver los frijoles blancos con los frijoles bayos y los garbanzos, y remojar en agua fría. Si no hay tiempo para remojarlos toda la noche, sumergirlos en agua caliente durante 2 horas, escurrir y continuar con la receta.

2 Saltear las cebollas y el ajo en el aceite de oliva durante 5 minutos, o hasta que se suavicen. Agregar la col, el apio y las zanahorias, y saltear durante 5 minutos más, o hasta que se suavicen las verduras.

3 Añadir el caldo de res, el puré de tomate, los frijoles escurridos, la albahaca, el perejil, las hojas de laurel, la sal y la pimienta; dejar hervir a fuego lento durante 2 horas, o hasta que espese y suelte el aroma. Agregar la corteza del parmesano, las calabacitas, el vino tinto y un poco más de agua si es necesario para adelgazar la sopa. Cocinar durante 30 minutos más, sacar las hojas de laurel y la corteza de parmesano, y servir. **Rinde 4 porciones**

Un toque particularmente agradable es servir una cucharada de pesto a cada plato. El calor de la sopa calienta al pesto y permite que penetre su sabor en todo el caldo.

PAPPA AL POMODORO

7 tazas de caldo de verduras,
de pollo o de res

6 cucharadas de aceite de oliva

2 cebollas, en trozos grandes

3 dientes de ajo, molidos

2 pimientos rojos, finamente picados

1⅓kg de jitomates Saladet, en trozos grandes

2 cucharadas de puré de tomate

400g de pan campesino duro

½ manojo de albahaca fresca,
en trozos grandes

sal y pimienta recién molida

1   Calentar el caldo en una cacerola y dejar que hierva a fuego lento.

2   Calentar el aceite de oliva en otra cacerola y agregar la cebolla, el ajo y el pimiento, y saltear hasta que se suavicen. Añadir los jitomates y el puré de tomate, y cocinar a fuego medio durante 10 minutos. Hacer puré esta mezcla y devolver a la cacerola.

3   Quitar la corteza del pan y desechar. Cortar el pan en cubos chicos.

4   A la mezcla de tomate agregar el caldo, el pan, la albahaca, la sal y la pimienta. Tapar y dejar que hierva a fuego lento durante 45 minutos; después, revolver con fuerza con una cuchara de madera para romper los cubos de pan.

5   Servir caliente o a temperatura ambiente, con algunos trozos de albahaca y pimienta negra recién molida.
Rinde 4 porciones

SOPA DE AJO

7 tazas de caldo de pollo

2 huesos de res

1 cabeza de ajo, separado
en dientes, sin pelar,
más 8 dientes picados

½ taza de perejil

sal y pimienta recién molida

3 cucharadas de aceite de oliva

125g de prosciutto, en cubos
(jamón serrano)

1 cucharada de páprika

½ cucharadita de comino molido

8 rebanadas de baguette, de 5mm
de grosor

1   En una cacerola grande, mezclar el caldo, los huesos, la cabeza de ajo, el perejil, la sal y la pimienta. Dejar que suelte el hervor, bajar la flama a fuego medio y dejar que hierva, sin tapar, durante 30 minutos. Colar en otra cacerola.

2   Mientras, calentar 1 cucharada de aceite en una sartén y saltear el ajo picado a fuego medio, hasta que se dore ligeramente. Agregar el prosciutto y cocinar durante 1 minuto. Añadir la páprika y el comino, y quitar del fuego de inmediato. Agregar la mezcla de ajo a la sopa y dejar que hierva a fuego lento.

3   Precalentar el horno a 180°C. Acomodar las rebanadas de pan en una charola para hornear y barnizarlas ligeramente con el aceite de oliva por ambos lados. Hornear, volteando una vez, hasta que se doren, 5 minutos aproximadamente.

4   Colocar el pan tostado en una sopera, verter la sopa caliente y servir. **Rinde 4 porciones**

SOPA DE VERDURAS Y FRIJOLES

1 cucharada de aceite de oliva

1 cebolla, finamente picada

2 dientes de ajo, machacados

4 ramas de orégano, sin hojas y picadas

1 cucharadita de páprika ahumada

2 tazas de caldo de verduras

400g de tomates enlatados, picados

2 cucharadas de puré de tomate

2 zanahorias, en cubos

2 calabacitas italianas, en cubos

2 tallos de apio, rebanados

400g de alubias blancas enlatadas, escurridas y enjuagadas

sal y pimienta negra recién molida

⅓ taza de hojas de albahaca frescas, en tiras

1 Calentar el aceite en una cacerola grande. Agregar la cebolla y el ajo, y saltear hasta que se suavicen. A fuego medio, añadir el orégano, la páprika, el caldo, los tomates, el puré de tomate, las zanahorias, las calabacitas y el apio. Dejar que suelte el hervor y que se cocine a fuego lento durante 20-30 minutos, o hasta que las verduras estén tiernas.

2 Incorporar las alubias y cocinar durante 2 minutos más. Sazonar con sal y pimienta, y agregar la albahaca.

3 Servir con un cucharón en tazones y acompañar con pan crujiente. **Rinde 4 porciones**

SOPA DE ALUBIAS

220g de alubias chicas

1 cucharada de aceite

2 cebollas, picadas

2 dientes de ajo, machacados

2 zanahorias, rebanadas

2 tallos de apio, rebanados

2 papas, picadas

400g de tomates enlatados, picados, hechos puré

6 tazas de agua

½ taza de perejil fresco, picado

pimienta negra recién molida

1 Colocar las alubias en un tazón grande, cubrir con agua y reservar para que se remojen toda la noche.

2 Escurrir las alubias, colocar en una cacerola grande y cubrir con suficiente agua, calentar y dejar que suelte el hervor. Cocinar durante 10 minutos, bajar la flama, y dejar hervir a fuego lento durante 1 hora, o hasta que se suavicen las alubias. Escurrir y reservar 2 tazas del agua de la cocción. Colocar el agua de la cocción que se reservó y la mitad de las alubias en el procesador de alimentos o la licuadora, y procesar hasta que quede una mezcla homogénea.

3 Calentar el aceite en una cacerola grande; agregar las cebollas y el ajo; saltear, sin dejar de revolver, durante 4-5 minutos o hasta que se suavice la cebolla. Agregar las zanahorias, el apio, las papas, los tomates, el agua, las alubias y el puré de alubias; dejar que suelte el hervor. Bajar la flama y dejar que hierva a fuego lento durante 20 minutos, o hasta que estén tiernas las verduras. Añadir el perejil y sazonar al gusto con pimienta negra. **Rinde 4 porciones**

SOPA DE VERDURAS Y FRIJOLES

SOPA DE CAMOTE Y ROMERO

2 cucharadas de aceite de oliva

2 dientes de ajo, machacados

1 cebolla mediana, picada

1 ramas de romero, sin hojas y picadas

2 cucharadas de pesto de tomate

1 zanahoria mediana, picada

1 papa grande, picada

750g de camote, picado

1 litro de caldo de pollo

sal y pimienta recién molida

Preparación

1 Calentar el aceite en una cacerola, agregar el ajo, la cebolla y la mitad del romero, y saltear a fuego medio durante 3-5 minutos, o hasta que se suavicen.

2 Añadir el pesto de tomate y cocinar durante 1 minuto.

3 Agregar la zanahoria, la papa y el camote, y cocinar durante 5 minutos más. Incorporar el caldo de pollo, sal y pimienta; dejar que suelte el hervor, bajar la flama y dejar que hierva a fuego lento, tapado, durante 30-40 minutos, o hasta que se suavicen las verduras.

4 Hacer puré la sopa en el procesador de alimentos; quizá tenga que hacerse en dos tandas. Devolver la sopa a la cacerola, agregar el resto del romero y calentar muy bien antes de servir. Si la sopa está muy espesa, agregar más caldo. **Rinde 4 porciones**

cocina selecta

ensaladas y vegetales

ENSALADA DE ANCHOAS, HUEVO Y PARMESANO

Ingredientes

2 huevos medianos

2 cabezas de endibias

2 lechugas, separadas las hojas

8 filetes de anchoa en aceite, escurridos y partidos a la mitad a lo largo

1 cucharada de alcaparras, escurridas

2 tomates cherry, en mitades

50g de queso parmesano, rallado

2 cucharadas de aceite de oliva extra virgen

Jugo de 1 limón

sal y pimienta negra

¼ taza de perejil de hoja lisa

Preparación

1   Poner a calentar agua en una cacerola chica, agregar los huevos y hervir durante 10 minutos. Sacar de la cacerola, enfriar bajo el chorro de agua fría y pelar. Cortar cada huevo en cuartos a lo largo.

2   En cada plato individual, acomodar las endibias y las hojas de lechuga alternándolas, con las puntas hacia fuera, en forma de estrella. Colocar 2 cuartos de huevo en la base de 2 hojas de lechuga y 2 mitades de anchoas en las otras dos lechugas. Esparcir las alcaparras sobre las hojas.

3   Colocar una mitad de tomate cherry en el centro de cada plato y acomodar 2 mitades de anchoas encima. Espolvorear con parmesano y bañar con el aceite de oliva y el jugo de limón. Sazonar al gusto y adornar con perejil. **Rinde 4 porciones**

ENSALADA DE ATÚN Y ALUBIAS

Ingredientes

250g de alubias chicas

1 cebolla, a la mitad

425g de atún enlatado, escurrido y desmenuzado

3 cebollas de cambray, picadas

1 pimiento rojo, en cubos

½ taza de perejil fresco, picado

3 cucharadas de aceite de oliva

2 cucharadas de vinagre de manzana

pimienta negra recién molida

Preparación

1   Colocar las alubias en un tazón grande, cubrir con agua, dejar remojar toda la noche y escurrir. Colocar las alubias y la cebolla en una cacerola, cubrir con suficiente agua, calentar y dejar que suelte el hervor. Cocinar durante 10 minutos, bajar la flama y dejar que hierva a fuego lento durante 1 hora, o hasta que se suavicen las alubias. Sacar la cebolla y desechar, escurrir las alubias y reservar para que se enfríen.

2   Incorporar las alubias, el atún, las cebollas de cambray y el perejil en una ensaladera.

3   Poner el aceite, el vinagre y la pimienta negra en una jarra con tapa de rosca, y agitar para revolver bien. Bañar la mezcla de alubias con el aderezo y agitar. Servir inmediatamente. **Rinde 4 porciones**

ENSALADA CALIENTE DE VERDURAS CON PROSCIUTTO

2 poros, sólo el bulbo blanco, rebanados

200g de habas sin cáscara, o de chícharos

150g de chícharos chinos

3 cucharadas de aceite de oliva

1 diente de ajo, finamente rebanado

3 cebollas de cambray, en trozos largos de 5cm

75g de espinacas baby

sal y pimienta negra

3 rebanadas de prosciutto, en tiras (jamón serrano)

2 champiñones grandes, muy finamente rebanados

1 cucharada de jugo de limón

50g de queso parmesano, rallado

Preparación

1 Poner a hervir agua con un poco de sal en una cacerola grande. Agregar los poros y las habas o chícharos, y cocinar durante 2 minutos; después, añadir los chícharos chinos y revolver durante unos segundos. Escurrir y reservar.

2 Agregar 2 cucharadas de aceite a la cacerola caliente e incorporar el ajo y las cebollas de cambray. Revolver durante 1 minuto para suavizar ligeramente; meter las espinacas y revolver hasta que empiecen a marchitarse. Añadir las verduras cocidas a la cacerola con el resto del aceite. Sazonar ligeramente y cocinar durante 2 minutos para calentar uniforme.

3 Agregar el prosciutto a la cacerola y calentar durante 1-2 minutos más. Acomodar la mezcla en un platón. Esparcir los champiñones y bañar con el jugo de limón. Espolvorear con el parmesano y sazonar con pimienta negra. **Rinde 4 porciones**

ENSALADA DE EJOTES, FRIJOL Y ALCACHOFA

Ingredientes

250g de ejotes, en trozos de 2cm

1 pimiento rojo, cortado en tiras finas

250g de frijoles o habas de Lima enlatados, escurridos y enjuagados

400g de corazones de alcachofa enlatados, escurridos y en mitades

2 cucharadas de aceite de oliva

4 cucharadas de vinagre

Pimienta negra recién molida

Preparación

1 Cocer los ejotes al vapor hasta que estén tiernos. Refrescar bajo el chorro de agua fría. Reservar.

2 Poner las tiras de pimiento en un tazón con agua helada durante 20 minutos, o hasta que se enrosquen.

3 Colocar los ejotes, el pimiento y las habas o los frijoles de Lima, los corazones de alcachofa, el aceite, el vinagre y pimienta negra en un tazón, y revolver bien. **Rinde 4 porciones**

ENSALADA DE HINOJO Y NARANJA

1 manojo de endibia rizada, las hojas separadas

1 bulbo chico de hinojo, cortado en tiras finas

3 naranjas, peladas y en gajos

1 cebolla, rebanada

20 aceitunas negras

Aderezo de naranja

3½ cucharadas de aceite de oliva

3 cucharadas de vinagre de vino blanco

¼ taza de hojas de hinojo fresco, picadas

Ralladura de ½ naranja

½ cucharadita de azúcar

Pimienta negra recién molida

Preparación

1 Colocar la endibia en un platón grande. Acomodar encima el hinojo, la naranja, la cebolla y las aceitunas.

2 Para preparar el aderezo, poner todos los ingredientes en una jarra con tapa de rosca, y agitar bien para revolver. Bañar la ensalada con el aderezo y servir inmediatamente. **Rinde 4 porciones**

ENSALADA MEDITERRÁNEA DE OSTIONES

Ingredientes

1 cucharada de aceite de oliva

200g de camarones chicos, pelados

200g de ostiones

3 corazones de lechuga, en tiras

2 cebollas moradas grandes, rebanadas

Aderezo

2 cucharadas de mostaza de Dijon

Jugo y ralladura de 2 limones

5 cucharadas de yogur griego

2 cucharaditas de puré de tomate

1 chile rojo, sin semillas y finamente picado

4 cucharadas de aceite de oliva extra virgen

½ taza de eneldo o menta frescos, picados

Sal

Preparación

1 Calentar el aceite en una sartén mediana a fuego medio y freír los camarones y los ostiones durante 4 minutos, hasta que se cuezan. Reservar para que se enfríen.

2 Para preparar el aderezo, colocar en un tazón la mostaza, el jugo de limón, el yogur, el puré de tomate y el chile, y revolver bien. Incorporar el aceite mientras se mezcla, poco a poco, y después agregar el eneldo o la menta y la ralladura de limón; sazonar con sal.

3 Colocar la lechuga en una ensaladera, acomodar los mariscos y los aros de cebolla encima, y bañar con el aderezo. Adornar con menta o eneldo. **Rinde 4 porciones**

ENSALADA ITALIANA DE ATÚN Y FRIJOLES BAYOS

Ingredientes

185g de atún enlatado en aceite

400g de frijoles bayos enteros

1 cebolla morada chica, finamente rebanada

2 tallos de apio, finamente rebanados

½ taza de perejil de hoja lisa fresco, picado

Aderezo

4 cucharadas de aceite de oliva

2 cucharadas de vinagre balsámico
  o de vino blanco

Sal y pimienta negra

Preparación

1 Escurrir el atún y reservar el aceite. Para preparar el aderezo, revolver con el tenedor el aceite del atún que se reservó junto con el aceite de oliva y el vinagre, y sazonar.

2 Desmenuzar el atún en un tazón grande y mezclar con los frijoles, la cebolla morada, el apio y el perejil. Verter el aderezo con una cuchara y revolver muy bien. **Rinde 4 porciones**

ENSALADA DE SALCHICHA Y PIMIENTO ASADO

125g de penne, cocido y frío

2 pimientos rojos, asados y cortados en tiras finas

2 pimientos amarillos o verdes, asados y cortados tiras finas

125g de champiñones chicos, rebanados

150g de aceitunas negras sin hueso

5 hojas de espinaca inglesa, sin tallos y las hojas finamente picadas

Salchichas de res y hierbas

500g de carne de res magra, molida

200g de carne de salchicha

2 dientes de ajo, machacados

1 rama de romero fresco, sin hojas y picado

¼ taza de albahaca fresca, finamente picada

2 rebanadas de prosciutto (jamón serrano), finamente picado

1 cucharada de aceite de oliva

Pimienta negra recién molida

Aderezo de hierbas

½ taza de aceite de oliva

¼ taza de vinagre balsámico o de vino tinto

¼ taza de albahaca fresca, picada

1 rama de orégano, sin hojas y picada

Pimienta negra recién molida

Preparación

1 Para preparar las salchichas, colocar en un tazón la carne de res, la carne de salchicha, el ajo, el romero, la albahaca, el prosciutto, el aceite de oliva y la pimienta negra; revolver bien. Con la mezcla, hacer salchichas de 10cm de largo. Asar las salchichas en la parrilla precalentada a fuego medio, volteando de vez en cuando, durante 10-15 minutos, o hasta que se doren y se cuezan bien. Reservar para que se enfríen ligeramente, y luego cortar cada salchicha en rebanadas diagonales.

2 Para preparar el aderezo, colocar el aceite de oliva, el vinagre, la albahaca, el orégano y la pimienta negra en una jarra con tapa de rosca y agitar bien.

3 Colocar en un tazón las rebanadas de salchicha, el penne, el pimiento rojo, el pimiento amarillo o verde, los champiñones y las aceitunas; servir el aderezo con una cuchara y revolver bien. Forrar un platón con las hojas de espinaca, y encima servir la mezcla de salchichas con verdura. **Rinde 4 porciones**

ENSALADA DE ACHICORIA Y ANCHOAS

1 achicoria o radicchio (vegetal de hojas color violeta que se come crudo o cocido), las hojas separadas

½ manojo de endibia rizada, las hojas separadas

1 endibia, las hojas separadas

8 rábanos, rebanados

½ taza de perejil de hoja lisa fresco, picado

Aderezo

¼ taza de aceite de oliva

¼ taza de jugo de limón

¼ taza de vino blanco seco

3 filetes de anchoa, escurridos y picados

2 dientes de ajo, machacados

½ cucharadita de azúcar

Preparación

1 Poner la achicoria, la endibia rizada y la endibia en un platón grande. Colocar encima los rábanos y el perejil.

2 Para preparar el aderezo, incorporar el aceite, el jugo de limón, el vino, las anchoas, el ajo y el azúcar en el procesador de alimentos o en la licuadora, y procesar hasta que la mezcla esté homogénea. Bañar la ensalada con el aderezo justo antes de servir. **Rinde 4 porciones**

EJOTES CON PROSCIUTTO Y PARMESANO

Ingredientes

6 huevos de codorniz

250g de ejotes, escaldados

50g de prosciutto (jamón serrano), rebanado

50g de queso parmesano, rallado

Pimienta negra recién molida

Sal de mar

Aderezo

2 cucharadas de aceite de oliva extra virgen

1 cucharada de vinagre de vino blanco

Preparación

1 Colocar los huevos en una cacerola chica con agua fría, dejar que suelte el hervor, y hervir durante 3 minutos. Enjuagar bajo el chorro de agua fría hasta que los huevos se enfríen; después, pelar y cortar en mitades.

2 En un tazón, revolver los ejotes, el prosciutto, los huevos de codorniz y el queso parmesano. Espolvorear con pimienta negra y sal de mar. Mezclar los ingredientes del aderezo, bañar la ensalada y servir.

Rinde 4 porciones

ENSALADA DE ESPINACA BABY, PIÑONES TOSTADOS Y AGUACATE

Ingredientes

80g de capacollo, rebanado (jamón serrano)

200g de espinaca baby

60g de piñones, tostados

1 aguacate, rebanado

¼ taza de aceite de oliva

2 cucharadas de vinagre balsámico

50g de queso pecorino o de cabra, rallado

Sal de mar

Pimienta negra recién molida

Preparación

1 Colocar el capacollo en la parrilla caliente y freír hasta que esté crujiente. En un tazón, colocar la espinaca, el capacollo, los piñones y el aguacate.

2 Revolver el aceite con el vinagre balsámico, verter sobre la ensalada, e incorporar el pecorino rallado.

3 Sazonar con sal y pimienta, y servir. **Rinde 4 porciones**

ENSALADA DE POLLO CON UVAS

Ingredientes

150g de pasta de concha chica

1kg de pollo, cocido y frío

150g de uvas verdes sin semillas, en mitades

¼ taza de estragón fresco

2 cucharadas de mayonesa

2 cucharadas de yogur natural

Pimienta negra recién molida

Preparación

1 Poner a hervir agua con sal en una cacerola grande, agregar la pasta y cocinar durante 8 minutos, o hasta que esté firme en el centro (al dente). Escurrir, enjuagar bajo el chorro del agua, volver a escurrir y reservar para que se enfríe completamente.

2 Quitar la piel al pollo y desechar. Picar la carne del pollo. Colocar la pasta, el pollo, las uvas y el estragón en un tazón.

3 Revolver la mayonesa, el yogur y la pimienta negra en un tazón chico. Añadir con una cuchara a la mezcla del pollo e incorporar todos los ingredientes. Servir a temperatura ambiente. **Rinde 4 porciones**

ENSALADA DE ESPINACA BABY,
PIÑONES TOSTADOS Y AGUACATE

INSALATA CAPRESE

Ingredientes

400g de jitomates Saladet,
en rebanadas gruesas

250g de queso bocconcini o
mozzarella, rebanado ½ taza de
hojas de albahaca fresca, en tiras

4 cucharadas de aceite de oliva
extra virgen

2 cucharadas de vinagre balsámico

Sal y pimienta negra recién molida

Preparación

1   Colocar los jitomates, el queso bocconcini y las hojas de albahaca en platos individuales.

2   Bañar con el aceite de oliva y el vinagre balsámico, y espolvorear con sal de mar y pimienta negra recién molida.

3   Servir con pan crujiente. **Rinde 4 porciones**

PILA DE BERENJENA

Ingredientes

¼ taza de aceite de oliva

2 berenjenas grandes

1 pimiento rojo, en cuartos

4 jitomates Saladet, rebanados

Pimienta negra recién molida

250g de queso bocconcini o
mozzarella, rebanado

¼ taza de hojas de albahaca

Sal de mar

Aderezo balsámico

¼ taza de aceite de oliva

2 cucharadas de vinagre balsámico

Preparación

1   Precalentar el horno a 150°C.

2   Calentar la parrilla y barnizarla ligeramente con aceite. Rebanar cada berenjena en 8 rebanadas de 10-15mm de grosor, untar un poco de aceite y asar en la parrilla durante 2-3 minutos de cada lado. Colocar el pimiento en la parrilla caliente y asar hasta que la piel esté negra. Pelar el pimiento y cortar en tiras finas.

3   Barnizar las rebanas de jitomate con aceite, espolvorear con pimienta, y colocar en una charola para horno ligeramente engrasada y asar durante 15 minutos. Agregar los trozos de berenjena y asar durante 10 minutos más.

4   En un platón, colocar 2 rebanas de berenjena, poner encima 3 tiras de pimiento, 3 rebanadas de jitomate, 3 rebanadas de queso bocconcini y 2 tiras más de pimiento. Adornar con hojas de albahaca.

5   Revolver los ingredientes del aderezo. Bañar el platillo con el aderezo balsámico y cubrir con una pizca de sal de mar y de pimienta negra molida justo antes de servir. Acompañar con pan italiano crujiente. **Rinde 4 porciones**

ALCACHOFAS LA POLITA

4 corazones de alcachofas globo

⅓ taza de aceite de oliva

6 chalotes (parecido al ajo, pero con dientes más grandes), picados

½ manojo de eneldo fresco, picado

8 cebollas en vinagre, peladas

350g zanahorias baby, peladas

8 papas chicas

Jugo de 1 limón

Sal y pimienta

2 cucharadas de maicena

Preparación

1 Quitar las hojas exteriores de las alcachofas y despuntar alrededor de la base. Cortar las alcachofas por encima de la base, sacar el centro y partir a la mitad. Colocar en un tazón de agua fría con unas gotas de jugo de limón para evitar que se decoloren.

2 Calentar la mitad del aceite en una cacerola grande. Agregar los chalotes y el eneldo, y saltear hasta que se suavicen.

3 Cortar en cruz el extremo donde está la raíz de las cebollas y colocar en una cacerola, después agregar las zanahorias y las papas. Añadir el jugo de limón, el resto del aceite, la sal y la pimienta, y cubrir con suficiente agua; cocinar durante 15 minutos.

4 Colocar los corazones de alcachofa encima de las verduras y cocinar durante 15 minutos más, hasta que estén suaves.

5 Con una espumadera, sacar las verduras y colocar en un platón previamente calentado.

6 Agrega sal y pimienta al líquido de la cocción. Licuar la maicena con suficiente agua para hacer una pasta, incorporar al líquido de la cocción y revolver en el fuego para espesar la salsa. Bañar sobre las verduras. Servir caliente con pan crujiente como platillo principal. **Rinde 4 porciones**

ENSALADA DE PASTA Y ESPÁRRAGOS

Ingredientes

500g de espagueti con chile

250g de espárragos, cortados en mitades

150g de berros, divididos en ramas chicas

60g de mantequilla

2 ramas de romero fresco, sin hojas y picadas

Pimienta negra recién molida

40g de queso parmesano, rallado

Preparación

1 Poner a hervir agua con sal en una cacerola grande, agregar la pasta y cocinar durante 8 minutos, o hasta que esté firme del centro (al dente). Escurrir, enjuagar bajo el chorro de agua, volver a escurrir y reservar.

2 Cocer los espárragos al vapor, hasta que se suavicen. Añadir los espárragos y los berros a la pasta, revolver bien.

3 Poner la mantequilla y el romero en una sartén chica y cocinar a fuego lento hasta que se dore la mantequilla. Dividir la pasta entre los tazones, bañar con la mantequilla con sabor a romero y espolvorear con pimienta negra y queso parmesano. Servir acompañada con gajos de limón. **Rinde 4 porciones**

La pasta con chile puede adquirirse en tiendas delicatessen o tiendas de alimentos especializadas. Si no está disponible, usar pasta normal y agregar un poco de chile fresco picado a la mezcla de mantequilla y romero.

ENSALADA CALABRIA

3 papas grandes, con cáscara

2 cebollas moradas, finamente rebanadas

6 jitomates Saladet

10 hojas de albahaca fresca

2 ramas de orégano, sin hojas y picadas

3 cucharadas de aceite de oliva

2 cucharadas de vinagre de vino blanco o tinto

Sal y pimienta

1 Cubrir las papas con agua fría y hervir hasta que se suavicen parejas, aproximadamente 15-20 minutos. Escurrir y reservar hasta que se enfríen lo suficiente para manejarlas; después, pelar y cortar en rebanadas delgadas. Remojar la cebolla en agua fría durante 30 minutos.

2 Partir los jitomates a la mitad y quitar el centro interior que es duro, rebanarlos y agregarlos con las papas. Rebanar los tomates y agregarlos con las papas. Añadir la cebolla y revolver bien.

3 Agregar la albahaca, el orégano, el aceite de oliva, el vinagre y un poco de sal y pimienta. Mezclar todo con mucho cuidado y servir de inmediato. **Rinde 4 porciones**

ENSALADA SPIRALE

Ingredientes

500g de pasta de tornillo

100g de tomates deshidratados, finamente rebanados

100g de corazones de alcachofa marinados, picados

75g de pimiento deshidratado o asado, picado

125g de aceitunas negras marinadas

12 hojas de albahaca fresca

60g de queso parmesano, rallado

1 cucharada de aceite de oliva

3 cucharadas de vinagre balsámico o de vino tinto

Preparación

1 Poner a hervir agua con sal en una cacerola grande, agregar la pasta y cocinar durante 8 minutos, o hasta que esté suave, pero firme en el centro (al dente). Escurrir, enjuagar bajo el chorro del agua fría y reservar para que se enfríe completamente.

2 Colocar la pasta, los tomates deshidratados, las alcachofas, el pimiento, las aceitunas, la albahaca, el queso parmesano, el aceite y el vinagre en un tazón, y revolver bien. Tapar y refrigerar cuando menos durante 2 horas, o toda la noche. **Rinde 4 porciones**

ENSALADA DE BETABEL ASADO, NARANJA E HINOJO

Ingredientes

3 betabeles grandes

2 cucharaditas de azúcar morena

1 cucharadita de sal

2 ramas de romero fresco, sin hojas y picadas

2 cucharadas de aceite de oliva

1 bulbo de hinojo

2 naranjas sanguinas o valencianas

100g de avellanas tostadas, machacadas

Aderezo

½ manojo de eneldo, picado

2 cucharadas de vinagre balsámico

½ taza de aceite de oliva

Sal y pimienta

Preparación

1 Precalentar el horno a 180°C. Lavar y cortar las puntas de los betabeles, los tallos y la raíz, pero no pelar.

2 En un tazón chico, revolver muy bien el azúcar morena, la sal, el romero y el aceite; después, agregar los betabeles enteros y revolcar en la mezcla de aceite, asegurarse de que la piel de los betabeles quede muy brillante. Envolver cada betabel en papel aluminio y colocar en una charola para hornear, y asar durante aproximadamente 1 hora, o hasta que estén suaves. Pelar los betabeles y cortar en rebanadas gruesas.

3 Rebanar muy finamente el bulbo de hinojo. Pelar las naranjas, quitar la corteza blanca y sacar los gajos.

4 Para preparar el aderezo, revolver el eneldo, el vinagre balsámico, el aceite de oliva, la sal y la pimienta, y batir con el tenedor hasta que espese.

5 Acomodar el betabel en un platón con el hinojo y la naranja. Bañar con el aderezo y espolvorear con las avellanas machacadas. **Rinde 4 porciones**

SALCHICHA ITALIANA CON CALABACITAS Y HOJAS DE MEZUMA

2 calabacitas italianas medianas,
  en rebanadas de 1cm

350g de salchichas italianas

1 baguette delgada,
  en rebanadas de 2cm

2 cucharadas de aceite de oliva

2 manojos de hojas de mezuma

¼ taza de hojas de albahaca, en tiras

125g de tomates semideshidratados

40g de queso parmesano, rallado

Aderezo

¼ taza de aceite de oliva

2 cucharadas de jugo de limón

Sal y pimienta negra recién molida

Preparación

1   Barnizar ligeramente la parrilla con aceite y calentar. Asar en la parrilla las calabacitas italianas durante 2-3 minutos de cada lado, retirar y reservar.

2   Agregar las salchichas y asar durante 6-8 minutos, volteando con frecuencia; quitar de la parrilla y reservar para que se enfríen. Partir las salchichas en rebanadas de 2.5cm.

3   Barnizar las rebanadas de pan con el aceite, y asar a la parrilla durante 2-3 minutos de cada lado. Revolver las hojas de mezuma, la albahaca, las salchichas, las calabacitas, los tomates deshidratados y el queso parmesano en un tazón grande.

4   Para preparar el aderezo, revolver el aceite, el jugo de limón, la sal y la pimienta, y batir con un tenedor. Bañar la ensalada con el aderezo antes de servir. **Rinde 4 porciones**

ENSALADA TIBIA DE FRIJOL DE LIMA Y PROSCIUTTO CON RÚCULA

Ingredientes

400g de frijoles o habas de Lima

2 cucharadas de aceite de oliva

½ cucharadita de hojuelas de chile seco

3 dientes de ajo, molidos

100g de prosciutto (jamón serrano), en trozos gruesos

Sal y pimienta negra recién molida

10 hojas de albahaca, trozadas

50g de rúcula

Preparación

1 Colocar los frijoles o habas de Lima en un tazón grande con agua tibia y dejar remojar toda la noche.

2 Escurrir los frijoles y colocar en una cacerola con agua fría. Calentar, dejar que suelte el hervor y hervir a fuego lento durante 1 hora, o hasta que estén suaves. Escurrir y reservar 1 taza del agua de la cocción.

3 Calentar el aceite de oliva en una cacerola mediana. Agregar las hojuelas de chile y el ajo, saltear brevemente hasta que se dore el ajo. Añadir el prosciutto y revolver a fuego moderado hasta que empiece a dorar, aproximadamente 2 minutos. Incorporar los frijoles de Lima y cocinar, revolviendo de vez en cuando, hasta que se calienten bien. Si la mezcla está algo seca, agregar un poco del líquido de la cocción que se reservó. Revolver con cuidado y servir tibio. **Rinde 4 porciones**

ENSALADA TOSCANA DE JITOMATE Y ALUBIAS BLANCAS

Ingredientes

1 taza de agua hirviendo

12 tomates deshidratados, escurridos

⅓ taza de vinagre de arroz

1 cucharada de aceite de oliva

2 cucharaditas de melaza

1 cucharada de salsa de soya

Sal y pimienta

150g de rúcula

150g de berros

8 jitomates Saladet, picados

6 cebollas de cambray, rebanadas

80g de aceitunas Kalamata, sin hueso

2 latas de 400g de alubias blancas, enjuagadas y escurridas

100g de nueces tostadas, picadas

Preparación

1 Revolver el agua hirviendo con los tomates deshidratados y dejar reposar hasta que se enfríe el agua. Agregar el vinagre de arroz, el aceite, la melaza, la salsa de soya, la sal y la pimienta, y hacer un puré en el procesador de alimentos hasta que la mezcla sea homogénea.

2 Colocar la rúcula y los berros recién lavados en un tazón grande y añadir los jitomates, las cebollas de cambray, las aceitunas y las alubias.

3 Bañar con el aderezo de tomate deshidratado y revolver bien para cubrir todas las hojas. Servir inmediatamente adornado con nueces tostadas. **Rinde 4 porciones**

ENSALDA TIBIA DE FRIJOL DE LIMA
Y PROSCIUTTO CON RÚCULA

ENSALADA TIBIA DE PIMIENTO Y ROMERO

Ingredientes

6 pimientos grandes de diferentes colores

2 cucharadas de aceite de oliva extra virgen

1 cebolla morada grande, cortada en 8 gajos

3 ramas de romero fresco, sin hojas y picadas

3 dientes de ajo, molidos

1 cucharada de vinagre balsámico

Sal y pimienta negra recién molida

Preparación

1 Partir en cuartos los pimientos y desechar las venas del centro. Rebanar en tiras largas y delgadas.

2 Calentar el aceite de oliva en una sartén y agregar la cebolla y el romero, y saltear a fuego alto durante 3 minutos. Agregar el ajo y el pimiento, y revolver muy bien.

3 Continuar cocinando a fuego lento durante 30 minutos, revolviendo con frecuencia, hasta que los pimientos se marchiten y la cebolla se caramelice un poco. Añadir el vinagre balsámico y cocinar durante 5 minutos más.

4 Sazonar con sal y pimienta, y servir tibio. **Rinde 4 porciones**

LASAÑA DE CHAMPIÑONES

Ingredientes

2 cucharadas de aceite de oliva

2 dientes de ajo, machacados

700g de champiñones blancos, finamente rebanados

½ taza de perejil fresco, picado

1 rama de orégano, sin hojas y picada

Sal y pimienta negra

9 hojas de lasaña fresca

150g de queso parmesano, rallado

Salsa bechamel

60g de mantequilla

1 cebolla chica, finamente picada

4 cucharadas de harina blanca

4 tazas de leche caliente

Sal

Pimienta negra recién molida

2 yemas de huevo

Preparación

1 Para preparar la salsa, fundir la mantequilla en una cacerola grande a fuego medio y saltear la cebolla, revolviendo, durante 5 minutos o hasta que se suavice. Incorporar la harina, sin dejar de revolver, y cocinar durante 1 minuto. Quitar la cacerola del fuego y añadir la leche poco a poco. Regresar al fuego y cocinar, revolviendo constantemente, hasta que la salsa comience a hervir y a espesar. Sazonar con sal y pimienta negra. Bajar la flama y dejar hervir a fuego lento durante 10 minutos.

2 Batir con un tenedor las yemas en un tazón chico hasta que la mezcla esté homogénea. Incorporar un poco de la salsa caliente a las yemas y después vaciar la mezcla de las yemas en la salsa. Cocinar a fuego bajo, revolviendo, durante 30 segundos. Retirar la cacerola de la estufa y conservar caliente.

3 Para preparar la lasaña, calentar el aceite en una sartén a fuego moderado y saltear el ajo, revolviendo, hasta que se suavice. Agregar los champiñones a la sartén, subir la llama y saltear, revolviendo, hasta que doren. Incorporar las hierbas. Bajar la flama y cocinar durante 10 minutos, o hasta que casi se haya evaporado todo el líquido. Retirar del fuego y sazonar con sal y pimienta.

4 Precalentar el horno a 200°C. Forrar una charola para horno de 20 x 25cm engrasada con mantequilla con la tercera parte de la pasta, encimando ligeramente las láminas. Cubrir con ⅓ de la mezcla de champiñones, bañar con ⅓ de la salsa y espolvorear con ⅓ del queso parmesano. Repetir este proceso con el resto de los ingredientes. Hornear durante 25-30 minutos, hasta que se dore. **Rinde 4 porciones**

PAY DE CALABACITAS Y FETTA

Ingredientes

500g de calabacitas italianas

150g de queso fetta

3 huevos, batidos

2 cucharadas de nueces tostadas, picadas

½ manojo de eneldo fresco, finamente picado

¼ taza de perejil de hoja lisa fresco, finamente picado

40g de queso parmesano, finamente rallado

Pimienta negra recién molida

Preparación

1 Cocer al vapor las calabacitas italianas durante 12-15 minutos, o hasta que estén tiernas. Exprimir el exceso de humedad con el dorso de una cuchara de madera. Remojar el queso feta en agua tibia durante 10 minutos.

2 Precalentar el horno a 180°C, y engrasar con mantequilla un molde para pay de 20 x 24cm.

3 Picar finamente las calabacitas y colocar en un tazón grande. Escurrir y desmoronar el queso, y agregárselo a las calabacitas. Añadir el resto de los ingredientes, y revolver bien.

4 Vaciar en el molde, espolvorear con un poco más de queso parmesano y hornear durante 45 minutos, o hasta que cuaje. Probar el centro con un tenedor antes de servir, el tenedor tiene que salir limpio. **Rinde 4 porciones**

CANELONES DE ESPINACAS Y RICOTTA

Ingredientes

250g de canelones instantáneos

400g de tomates enlatados, escurridos y picados

1 diente de ajo, machacado

125g de queso mozzarella, rallado

40g de queso parmesano, rallado

Relleno

½ manojo de espinacas inglesas, en tiras

½ taza de agua

250g de queso ricotta, escurrido

40g de queso parmesano, rallado

1 huevo, batido

¼ cucharadita de nuez moscada molida

Pimienta negra recién molida

Preparación

1 Precalentar el horno a 180°C. Para preparar el relleno, colocar las espinacas con agua en una cacerola, cubrir con una tapadera hermética y cocinar a fuego medio, agitando de vez en cuando, durante 4-5 minutos o hasta que se marchiten. Escurrir bien, exprimir el exceso de agua, y reservar para que se enfríen.

2 Picar finamente las espinacas y colocar en un tazón. Agregar el queso ricotta, el parmesano, el huevo, la nuez moscada y la pimienta negra, y revolver bien. Con una cuchara, servir la mezcla en los canelones y acomodarlos uno junto a otro en un refractario ligeramente engrasado.

3 Revolver los tomates y el ajo en un tazón y servir con una cuchara sobre los canelones. Espolvorear con queso mozzarella y parmesano, y hornear durante 30-35 minutos, o hasta que los canelones estén suaves y dorados por encima. **Rinde 4 porciones**

Si se desea, puede usarse queso cottage en lugar del queso ricotta; solo hay que pasarlo por el colador para darle una textura más suave.

RISOTTO DE CALABAZA DULCE Y ALCACHOFA

Ingredientes

3 tazas de caldo de verduras

1 taza de vino blanco

1 cucharada de aceite de oliva

1 cebolla, picada

2 cucharaditas de comino molido

½ cucharadita de nuez moscada

200g de calabaza dulce, picada

300g de arroz Arborio o de grano corto

400g de corazones de alcachofa enlatados, escurridos y picados

90g de tomates deshidratados, picados

¼ taza de salvia fresca, picada

Pimienta negra recién molida

40g de queso parmesano, rallado

Preparación

1 Colocar el caldo y el vino en una cacerola, y dejar que suelte el hervor a fuego medio. Bajar la flama y conservar caliente.

2 Calentar el aceite en una cacerola a fuego medio; agregar la cebolla, el comino y la nuez moscada; saltear, sin dejar de revolver, durante 3 minutos o hasta que se suavice la cebolla. Añadir la calabaza y saltear, sin dejar de revolver, durante 3 minutos más.

3 Agregar el arroz y cocinar, sin dejar de revolver, durante 5 minutos. Verter 1 taza de caldo caliente al arroz y cocinar a fuego medio, revolviendo constantemente, hasta que se absorba el caldo. Seguir incorporando el caldo de esta manera hasta que se use todo y el arroz se suavice.

4 Añadir las alcachofas, los tomates deshidratados, la salvia y la pimienta negra a la mezcla del arroz. Revolver bien y cocinar durante 2 minutos, o hasta que se caliente. Retirar del fuego, espolvorear con el parmesano y servir. **Rinde 4 porciones**

TARTA ITALIANA DE ESPINACA

2 tazas de harina blanca

1 pizca de sal

125g de mantequilla

⅓ taza de agua helada

500g de espinacas

200g de queso ricotta

4 huevos, batidos

60g de queso parmesano, rallado

Nuez moscada

Sal y pimienta negra recién molida

Preparación

1 Cernir la harina y la sal en un tazón grande. Cortar la mantequilla en trozos pequeños, y agregar a la harina. Frotar la harina con la mantequilla con la yema de los dedos, hasta que la mezcla tenga consistencia de migajas de pan. No exagerar en el proceso, ya que la mantequilla se mezclará más en los siguientes pasos.

2 Hacer un hueco en el centro. Incorporar el agua helada y revolver rápido con un cuchillo. Apretar la masa con los dedos.

3 Vaciar sobre una superficie enharinada y extender ligeramente con el rodillo hasta que esté homogénea. Formar una pelota y quitar el exceso de harina. Envolver en papel encerado y refrigerar durante 20-30 minutos.

4 Precalentar el horno a 200°C. Extender la masa y usarla para forrar un molde para flan de 25cm. Cortar los bordes. Picar ligeramente la base con un tenedor y cubrir con papel encerado. Rellenar a la mitad con frijoles secos y hornear sin relleno durante 7 minutos. Quitar los frijoles y el papel, y hornear durante 5 minutos más.

5 Mientras, lavar las espinacas y colocarlas en una cacerola sin secar las hojas. Tapar y cocinar hasta que estén tiernas; escurrir, exprimir para secar, enfriar y picar finamente. En un tazón, batir el queso ricotta hasta que esté homogéneo; después, sin dejar de batir, incorporar los huevos, el parmesano, la nuez moscada y las espinacas. Sazonar la mezcla y vaciar en la pasta previamente horneada. Bajar la temperatura del horno a 180°C y hornear durante 25-30 minutos, hasta que dore y cuaje. Servir fría. **Rinde 4 porciones**

ESPÁRRAGOS ASADOS CON MAYONESA DE PISTACHE

750g de espárragos gruesos

3 cucharadas de aceite de oliva

Sal y pimienta negra

5 cucharadas de mayonesa

1 cucharada de pesto verde (salsa preparada con ajo, albahaca, piñones y aceite de oliva)

90g de pistaches, finamente picados

1 diente de ajo, finamente picado

Preparación

1 Precalentar el horno a 200°C.

2 Cortar las puntas de los espárragos y quitar las partes leñosas de los tallos. Colocar una sola capa en un molde para asar, bañar con el aceite y sacudir para que queden cubiertos. Sazonar y cocinar durante 20-25 minutos, hasta que estén suaves.

3 Revolver la mayonesa, el pesto, los pistaches y el ajo. Sazonar y servir con los espárragos asados. **Rinde 4 porciones**

ÑOQUIS DE ESPINACA, CHÍCHAROS Y RICOTTA

220g de hojas de espinacas frescas

220g de chícharos sin vaina

220g de queso ricotta, escurrido

Pimienta negra recién molida

Nuez moscada molida

60g de mantequilla

2 huevos, ligeramente batidos

3 cucharadas de pan molido seco

5 cucharadas de harina blanca

90g de queso parmesano, rallado

1 Cocer las espinacas al vapor, hasta que estén suaves. Escurrir y exprimir el exceso de líquido. Reservar.

2 Cocer los chícharos al vapor, hasta que estén suaves. Escurrir y revolver con las espinacas. Picar finamente.

3 Colocar la mezcla de las espinacas y el queso ricotta en una cacerola. Sazonar al gusto con pimienta negra y nuez moscada. Agregar un cuarto de la mantequilla y cocinar a fuego lento, revolviendo con frecuencia, hasta que se funda la mantequilla y se evapore el exceso de líquido. Retirar del fuego. Incorporar los huevos batiendo, después agregar el pan molido, la harina y la mitad del queso parmesano. La mezcla debe tener la firmeza suficiente para conservar su forma, pero con una ligera textura.

4 Con las manos bien enharinadas, tomar cucharadas copeteadas de la mezcla y enrollar ligeramente para formar pelotas ovaladas. Poner a hervir agua en una cacerola grande, y bajar la flama. Dejar caer algunos ñoquis al mismo tiempo y cocinar durante 4-5 minutos, o hasta que salgan a la superficie. Sacar de la cacerola y escurrir; tapar y conservar calientes.

5 Fundir el resto de la mantequilla en una cacerola hasta que se dore ligeramente. Verter la mantequilla en los ñoquis, espolvorear con el resto del queso parmesano y servir. **Rinde 4 porciones**

PASTEL DE BERENJENA Y JITOMATE

Ingredientes

4 cucharadas de aceite de oliva

1 berenjena, finamente rebanada

1 cebolla, finamente rebanada

2 dientes de ajo, finamente picados

6 jitomates Roma, finamente rebanados

Sal y pimienta negra

2 ramas de tomillo fresco, sin hojas y sin tallos

50g de queso parmesano, rallado

Preparación

1   Precalentar el horno a 220°C. Calentar 2 cucharadas de aceite en una sartén, freír las rebanadas de berenjena durante 4-5 minutos, volteando una vez, hasta que se suavicen y se doren bien. Retirar de la sartén. Agregar otra cucharada de aceite y freír la cebolla y el ajo durante 3-4 minutos, hasta que se suavicen y se doren ligeramente.

2   En un refractario redondo de 20cm, colocar una capa de jitomates, una capa de berenjenas y una capa de cebollas; sazonar cada capa, y espolvorear con tomillo. Continuar colocando capas hasta que se use toda la verdura, terminando con una capa de jitomates. Bañar con el resto del aceite y hornear durante 20 minutos. Espolvorear con el queso parmesano y hornear durante 5-10 minutos más, hasta que se dore.
Rinde 4 porciones

PIZZA DE VEGETALES

Ingredientes

1 cucharadita de levadura seca

340g de harina blanca

1 pizca de sal

4 cucharadas de aceite de oliva

Cubierta

200g de tomates enlatados, escurridos y picados

2 cucharadas de puré de tomate

4 cucharaditas de aceite de oliva

2 dientes de ajo, machacados

20 hojas de espinaca

100g de champiñones blancos, finamente rebanados

1 pimiento rojo, picado

½ cebolla morada, picada

100g de calabacitas italianas, rebanadas

1 rama de orégano, sin hojas y picada

1 rama de tomillo, sin hojas y sin tallo

100g de queso mozzarella, rallado

Preparación

1   Colocar la levadura y ⅔ taza de agua tibia en un tazón y revolver. Dejar reposar 5-10 minutos hasta que haga espuma. Cernir la harina y la sal en otro tazón y hacer un hueco en el centro. Incorporar el líquido de la levadura y el aceite para hacer una masa. Amasar durante 5 minutos o hasta que esté homogénea y elástica.

2   Barnizar ligeramente un tazón con aceite. Colocar la masa en el tazón, cubrir con plástico adherente engrasado y dejar reposar en un lugar caliente durante 1 hora, o hasta que duplique su tamaño.

3   Precalentar el horno a 200°C. Amasar brevemente la masa, extender con un rodillo para que quepa en una charola redonda para hornear de 30cm. Revolver los tomates con el puré de tomate, y extender en la base. Calentar la mitad del aceite en una cacerola; agregar el ajo y las espinacas, y saltear, sin dejar de revolver, durante 3 minutos, o hasta que se marchiten las espinacas. Escurrir y acomodar encima de los tomates.

4   Cubrir la pizza con el resto de los vegetales, las hierbas y el queso mozzarella. Bañar con el resto del aceite y hornear durante 30 minutos, o hasta que se dore. **Rinde 4 porciones**

TERRINA TOSCANA DE VERDURA

300g de calabaza dulce, pelada

¼ taza de aceite de oliva

16 jitomates Roma

400g de queso bocconcini o mozarella

1 manojo de albahaca fresca

Sal de mar y pimienta negra, recién molida

1 manojo de rúcula

Aderezo

1 cucharadita de mostaza integral

2 cucharadas de vinagre balsámico

2 cucharadas de aceite de oliva

Preparación

1   Precalentar el horno a 180°C. Forrar un molde para terrina o para pan con plástico adherente, dejando suficiente plástico de los lados para cubrir la terrina. Reservar.

2   Cortar la calabaza en rebanadas de 1cm de grosor para darle forma a la terrina —debe salir suficiente para hacer una sola capa.

3   Barnizar ligeramente las rebanadas con aceite de oliva. Colocar en una charola y hornear durante 20-30 minutos o hasta que se cuezan, pero aún estén firmes. Dejar enfriar.

4   Cortar los jitomates a la mitad a lo largo. Quitar las semillas y oprimir ligeramente con las manos para aplanar. Partir el queso en rebanadas gruesas de 5mm.

5   Colocar los ingredientes por capas en el molde de la siguiente forma: tomates, hojas de albahaca, queso, jitomates, calabaza, queso, hojas de albahaca, jitomates y queso. El efecto general será de capas de jitomates, albahaca y queso con una capa de calabaza en el centro. Al colocar las capas, poner los jitomates con la piel hacia abajo y sazonar cada capa con un poco de sal de mar y pimienta negra.

6   Cubrir la terrina con el plástico que sobresale a los lados. Aplastar con un plato y refrigerar toda la noche.

7   Para preparar el aderezo, colocar en una jarra con tapa de rosca la mostaza, el vinagre y el aceite. Agitar bien para revolver.

8   Para servir, sacar con cuidado la terrina del molde valiéndote del plástico que sobresale a los lados. Cortar en rebanadas gruesas. Forrar los platos con hojas de rúcula, colocar una rebanada de terrina encima y bañar con el aderezo. Servir con pan italiano. **Rinde 4 porciones**

TOMATES BOLA RELLENOS

4 tomates bola grandes

1 taza de arroz de grano largo, cocido

¼ taza de hojas de albahaca, picadas

¼ taza de aceite de oliva

3 filetes de anchoa, escurridos y picados

2 dientes de ajo, machacados

1 cucharadita de azúcar

Sal y pimienta negra recién molida

Preparación

1   Precalentar el horno a 190°C. Rebanar las tapas de los tomates y reservar. Con una cucharita, sacar parte de la pulpa de cada tomate dejando una capa gruesa, picar y revolver con el resto de los ingredientes.

2   Colocar los tomates en un refractario plano, engrasado, de tamaño suficiente para que quepan todos en una capa. Rellenar con la mezcla de arroz y colocar las tapas.

3   Hornear durante 15 minutos, bañando con los jugos de la cocción de vez en cuando.

4   Servir caliente o a temperatura ambiente. **Rinde 4 porciones**

PIMIENTOS RELLENOS DE FRIJOLES

4 pimientos rojos o verdes

2 cucharadas de aceite de oliva

1 cebolla, picada

2 cucharadas de comino molido

1 diente de ajo, machacado

3 cucharadas de puré de tomate

¼ taza de caldo de pollo o de verduras

400g de tomates enlatados, escurridos y hechos puré

400g de frijoles rojos enlatados, escurridos

Pimienta negra recién molida

1 Cortar los pimientos a la mitad a lo largo, quitar las semillas y la corteza blanca. Colocar en una charola para hornear ligeramente engrasada y reservar.

2 Calentar el aceite en una cacerola grande, agregar la cebolla y saltear, sin dejar de revolver, durante 2-3 minutos, o hasta que se suavice la cebolla.

3 Agregar el comino, el ajo, el puré de tomate, el caldo, los tomates y los frijoles a la cacerola; dejar que suelte el hervor. Bajar la flama y dejar que hierva a fuego lento, destapado, durante 10 minutos, o hasta que la mezcla se reduzca y espese. Sazonar al gusto con pimienta negra.

4 Precalentar el horno a 200°C. Rellenar los pimientos y hornear durante 20 minutos, o hasta que se suavicen.
Rinde 4 porciones

cocina selecta

mariscos

FILETES DE SARDINA AL HORNO

2 cucharadas de aceite de oliva

250g de filetes de sardina

4 jitomates Saladet, pelados y picados

1 pimiento verde, finamente picado

2 cucharaditas de alcaparras,
finamente picadas

1 tallo de apio, finamente picado

1 cucharada de puré de tomate

1 dientes de ajo, machacado

Jugo de 3 limones

Sal y pimienta negra recién molida

40g de mantequilla

Preparación

1   Precalentar el horno a 180°C.

2   Barnizar cuatro hojas de papel aluminio con aceite de oliva. Dividir los filetes de sardina en cuatro porciones y colocar en el centro de cada pieza de aluminio, con la piel hacia abajo.

3   Revolver el jitomate, el pimiento, las alcaparras, el apio, el puré de tomate, el ajo, el jugo de limón, la sal y la pimienta negra recién molida. Revolver bien y servir la mezcla sobre los filetes. Colocar un trozo de mantequilla en cada uno, envolver el filete con el aluminio y sellar.

4   Hornear en una charola durante 15 minutos —abrir un paquete para verificar si la sardina ya se coció—. Adornar con rodajas de limón y servir con ensalada fresca. **Rinde 4 porciones**

SARDINAS Y PIMIENTOS A LA PARRILLA

Ingredientes

250g de sardinas

3 cucharadas de jugo de limón

¼ taza de aceite de oliva extra virgen

4 ramas de orégano,
sin hojas y picadas

Sal y pimienta negra recién molida

200g de espinacas baby o rúcula

2 pimientos rojos, asados
y finamente rebanados

Preparación

1   Barnizar ligeramente la parrilla con aceite, y calentar. Untar ligeramente las sardinas con aceite, colocar en la parrilla y cocinar durante 1-2 minutos de cada lado. Reservar en un plato, y rociar las sardinas con 1 cucharada de jugo de limón.

2   Revolver el aceite de oliva, el resto del jugo de limón, el orégano, la sal y la pimienta; mezclar muy bien. Colocar las espinacas o la rúcula en un plato, agregar las rebanadas de pimiento, poner encima cuatro sardinas y bañar con el aderezo. **Rinde 4 porciones**

SARDINAS FRITAS CON HIERBAS MIXTAS

⅓ taza de harina blanca

½ taza de hierbas mixtas (perejil, albahaca, orégano, mejorana), en trozos grandes

½ cucharadita de pimienta negra gruesa

1 pizca de sal de mar

1kg de filetes de sardina

¼ de aceite de oliva

Preparación

1 En un platón grande, revolver la harina, las hierbas, la pimienta y la sal.

2 Revolcar los filetes de sardina en la mezcla de harina, presionando con firmeza el pescado.

3 Calentar aceite en un sartén grande, agregar 4 sardinas a la vez, y cocinar durante 1-2 minutos de cada lado, o hasta que estén crujientes y ligeramente doradas.

4 Servir con rodajas de limón y una ensalada verde. **Rinde 4 porciones**

SALTIMBOCA DE SALMONETE

Ingredientes

4 salmonetes, aproximadamente 250g cada uno (en filetes)

Sal y pimienta negra

8 hojas de salvia fresca

4 rebanadas delgadas de prosciutto (jamón serrano)

20g de mantequilla

2 cucharadas de aceite de oliva

Preparación

1 Limpiar los filetes de pescado, quitar las escamas de la cola con el dorso de un cuchillo. Quitar las espinas con un par de pinzas.

2 Sazonar ligeramente, prensar 2 hojas de salvia en un lado de cada filete y envolver con una rebanada de prosciutto. Tapar y dejar en el refrigerador cuando menos 30 minutos, o hasta 8 horas.

3 Calentar la mantequilla y el aceite en una sartén grande. Colocar el pescado en la sartén, con la salvia hacia abajo, y freír durante 2-3 minutos, hasta que esté crujiente. Voltear y freír durante 2-3 minutos más, hasta que el pescado esté opaco y crujiente y rojo por fuera. Servir con rodajas de limón. **Rinde 4 porciones**

BACALAO AL HORNO

1 cucharada de aceite de oliva

1 cebolla chica, finamente rebanada

1 diente de ajo, finamente rebanado

750g de bacalao sin piel, en 4 piezas iguales

½ taza de perejil fresco, picado

1 limón, finamente rebanado

4 jitomates Saladet, cortados en 8 gajos a lo largo

Sal y pimienta negra

⅓ taza de vino blanco seco

Preparación

1   Precalentar el horno a 200°C. Cortar 4 rectángulos largos de papel encerado, doblar cada uno a la mitad para hacer un cuadrado y para que cada paquetito tenga papel doblemente grueso.

2   Calentar el aceite en una sartén, freír la cebolla y el ajo durante 2-3 minutos, hasta que se suavicen. Colocar una cucharada de la mezcla en el centro de cada cuadro de papel. Cubrir con una pieza de bacalao, espolvorear con perejil y acomodar encima rebanadas de limón.

3   Dividir los jitomates entre los paquetes. Sazonar y rociar el vino con una cuchara. Levantar los lados opuestos del papel y cubrir el relleno, después doblar con firmeza en la parte superior para sellar. Colocar en una charola y hornear durante 20-25 minutos hasta que el pescado esté suave. **Rinde 4 porciones**

PESCADO AL HORNO

Ingredientes

1½ kilos de mojarra

sal y pimienta

jugo de 1 limón

½ taza de aceite de oliva

1 cebolla grande, rebanada

3 dientes de ajo, finamente rebanados

1 tallo de apio, picado

400g de tomates enlatados, picados

½ taza de vino blanco seco

½ cucharadita de azúcar

1 rama de orégano, sin las hojas y picada

Preparación

1   Preparar el pescado, con la cabeza y la cola. Hacer cortes diagonales en la superficie, rociar con un poco de sal, pimienta y jugo de limón. Reservar durante 20 minutos.

2   Precalentar el horno a 180°C. Calentar la mitad del aceite en una sartén y saltear la cebolla, el ajo y el apio durante 3 minutos. Añadir los tomates, el vino, el orégano y el azúcar, y sazonar con sal y pimienta. Saltear por 2 minutos más.

3   Colocar esta salsa en un platón previamente engrasado y poner el pescado encima. Bañar el pescado con el resto del aceite. Hornear durante 30-40 minutos, según el tamaño. Durante la cocción, bañar al pescado con su jugo.

4   Pasar el pescado a un platón, servir con una cuchara de la salsa y acompañar con verduras o una ensalada. **Rinde 4 porciones**

BACALAO CON AIOLÍ DE ALBAHACA

Ingredientes

1 diente de ajo, molido

2 cucharadas de aceite de oliva

1 cucharada de jugo de limón

4 filetes de bacalao

½ porción de aiolí de albahaca
(ver la página 168)

1 porción de papas parmesanas
(ver la página 168)

Preparación

1 En un plato, revolver el ajo, el aceite de oliva y el jugo de limón, agregar los filetes de bacalao y marinar durante 1 hora.

2 Engrasar ligeramente una sartén o una parrilla y asar el pescado durante 3 minutos de cada lado.

3 Servir con el aiolí de albahaca y las papas parmesanas. **Rinde 4 porciones**

ROLLOS DE PERCA CON SALSA DE TOMATE Y ALBAHACA

Ingredientes

1 calabacita italiana

1 zanahoria

1 tallo de apio

4 filetes de perca

Sal y pimienta

1 cucharada de jugo de limón

20g de mantequilla

1 cebolla mediana, finamente picada

2 dientes de ajo, machacados

½ taza de vino blanco seco

4 jitomates Saladet, pelados, sin semillas y picados

1 cucharada de puré de tomate

1 taza de albahaca dulce

Preparación

1   Precalentar el horno a 180°C. Cortar las verduras en tiras de 10cm. Colocar los filetes con la piel hacia arriba, y sazonar con sal y pimienta. Dividir la verdura entre los filetes y enrollar. Cerrar con palillos.

2   Colocar los rollos en una charola para hornear, bañar con el jugo de limón, tapar y hornear durante 20 minutos, o hasta que se cuezan bien.

3   Mientras, fundir la mantequilla en una cacerola, agregar la cebolla y el ajo, y saltear, sin dejar de revolver, hasta que se suavice la cebolla.

4   Agregar el vino, los jitomates, el puré de tomate, la sal y la pimienta. Dejar que suelte el hervor, bajar la flama y dejar que hierva a fuego lento hasta que la salsa espese ligeramente. Añadir la albahaca y revolver bien. Servir la salsa sobre los rollos de pescado. **Rinde 4 porciones**

FETTUCCINE CON CAVIAR

Ingredientes

500g de fettuccine

2 cucharadas de aceite de oliva

2 dientes de ajo, machacados

1 manojo de cebollín, picado

3 cucharadas de caviar rojo

3 cucharadas de caviar negro

2 huevos duros, picados

⅓ taza de crema agria

¼ taza de perejil, picado

Preparación

1   Poner a hervir agua con sal en una cacerola grande, agregar la pasta y cocinar durante 8 minutos, o hasta que esté suave, pero firme en el centro (al dente). Escurrir, reservar y conservar caliente.

2   Calentar aceite en una sartén grande y saltear el ajo a fuego bajo durante 3-4 minutos. Agregar a la sartén el fettuccine, el cebollín, el caviar rojo y el negro, y los huevos. Revolver muy bien. Servir inmediatamente, cubrir con crema agria y adornar con perejil. **Rinde 4 porciones**

FILETES DE PEZ ESPADA CON SALSA DE TOMATE

¼ taza de pesto de albahaca
(ver la página 168)

1 cucharada de aceite de oliva

4 filetes de pez espada, de 200g
cada uno

Salsa

2 jitomates Saladet, finamente picados

1 cebolla morada chica, finamente
picada

1 cucharadita de pimienta negra gruesa

¼ taza de albahaca, picada

2 cucharadas de aceite de oliva
extra virgen

1 cucharada de jugo de limón

Preparación

1 Mezclar el pesto con el aceite de oliva. Barnizar el pescado con la mezcla de pesto. Calentar la parrilla
y asar durante 2-3 minutos de cada lado.

2 En un tazón chico, revolver todos los ingredientes de la salsa y mezclar bien.

3 Servir el pescado con la salsa encima. **Rinde 4 porciones**

FILETES DE PARGO
CON VINO BLANCO Y PEREJIL

½ taza de harina blanca

1 cucharadita de pimienta gruesa molida

¼ cucharadita de sal de mar

4 filetes de pargo, de 220g cada uno

2 cucharadas de aceite de oliva

60g de mantequilla

2 dientes de ajo, machacados

½ taza de vino blanco

¼ taza de perejil, finamente picado

1 Revolver la harina, la sal y la pimienta en un plato y revolcar los filetes de pescado de manera uniforme, eliminando el exceso.

2 Calentar el aceite en una sartén, agregar el pescado y freír a fuego medio durante 5-6 minutos de cada lado, según el grosor del pescado. Reservar en un plato y conservar caliente.

3 Limpiar la sartén, fundir la mantequilla, agregar el ajo y saltear durante 2 minutos. Añadir el vino blanco y hervir a fuego lento hasta que se reduzca la salsa.

4 Justo antes de servir, agregar el perejil picado a la salsa y servir con el pescado. **Rinde 4 porciones**

ATÚN DORADO CON JITOMATES ASADOS

1 diente de ajo, finamente picado
Jugo y ralladura fina de 1 limón

5 cucharadas de aceite de oliva

3 ramas de romero fresco, sin hojas y picadas

4 medallones de atún, de 150g cada uno y 2cm de grosor

6 jitomates Saladet, en mitades a lo largo

1 cebolla morada, a la mitad y en rebanadas gruesas a lo largo

Sal y pimienta negra

1 Revolver el ajo, la ralladura de limón, la mitad del jugo de limón, 2 cucharadas de aceite y ⅓· del romero en un plato. Agregar el atún y revolver para cubrir uniforme. Tapar y refrigerar durante 30 minutos.

2 Precalentar el horno a 220°C. Colocar los jitomates y la cebolla en un refractario con el resto del romero. Bañar con el resto del aceite y sazonar. Asar durante 15-20 minutos, hasta que estén suaves y ligeramente dorados.

3 Engrasar ligeramente una parrilla o una sartén grande, y calentar a fuego muy alto. Agregar el atún y cocinar durante 4-5 minutos hasta que se dore, voltear una vez. Servir con los jitomates y la cebolla, y bañar con el resto del jugo de limón. **Rinde 4 porciones**

CACEROLA DE MARISCOS

1 cucharada de aceite de oliva

1 cebolla mediana, en trozos grandes

1 poro, finamente picado

2 dientes de ajo, machacados

400g de tomates enlatados

2 hojas de laurel

¼ taza de perejil, picado

¼ taza de vino blanco seco

Sal y pimienta negra recién molida

750g de pescado de carne firme
  y mariscos de diferente variedad

2 ramas de orégano, sin hojas y picadas

Preparación

1   Calentar el aceite en una cacerola resistente al fuego. Saltear la cebolla, el poro y el ajo, hasta que se suavicen y se doren ligeramente.

2   Agregar los tomates, las hojas de laurel, el perejil, el vino, la sal y la pimienta. Dejar que suelte el hervor, tapar y dejar que hierva a fuego lento durante 20 minutos.

3   Incorporar el pescado y los mariscos y cocinar durante 5-7 minutos hasta que el pescado esté suave y los mariscos hayan abierto (desechar los que se queden cerrados). **Rinde 4 porciones**

Los pescados y mariscos recomendables son: salmonete, rape, besugo, bacalao, calamares, mejillones, camarones y almejas.

CALAMARES FRITOS CON LIMÓN

Ingredientes

700g de tubos de calamar

½ taza de harina de trigo

1 cucharadita de sal

1 cucharadita de pimienta molida

1 taza de aceite de oliva

1 limón, en gajos

Preparación

1   Cortar cada tubo de calamar de un lado. Con un cuchillo afilado, cortar en diagonal por dentro en ambas direcciones. Partir el calamar en rectángulos de 2 x 4cm.

2   En un tazón, revolver la harina de trigo, la sal y la pimienta.

3   Calentar aceite en una sartén grande o wok. Bañar los calamares en la harina de trigo y, cuando el aceite esté caliente, cocinar unas cuantas piezas al mismo tiempo hasta que se doren ligeramente y estén crujientes. Escurrir en servilletas de papel absorbente y servir con gajos de limón. **Rinde 4 porciones**

GUISADO MEDITERRÁNEO DE PESCADO CON ROUILLE

Ingredientes

500g de pescados y mariscos de diferente variedad

250g de mejillones

2 cucharadas de aceite de oliva

1 cebolla, finamente picada

1 cucharadita de semillas de hinojo

¾ taza de vino blanco seco

400g de tomates enlatados, picados

Sal y pimienta negra

Rouille

2 dientes de ajo, picados

1 chile rojo chico, sin semillas y picado

½ taza de cilantro fresco, picado

Sal y pimienta negra

3 cucharadas de mayonesa

1 cucharada de aceite de oliva

Preparación

Guisado

1 Pelar el pescado, de ser necesario, y cortar en trozos de 5cm. Pelar los camarones, cortar el lomo, sacar las venas negras y enjuagar bien. Cortar el calamar en aros de 5cm. Lavar y quitar las barbas a los mejillones.

2 Calentar el aceite en una cacerola grande y freír la cebolla durante 4 minutos para suavizar. Agregar las semillas de hinojo y freír otro minuto; incorporar el vino, los tomates y sazonar. Dejar que suelte el hervor y hervir a fuego lento, destapado, durante 5 minutos, hasta que espese ligeramente. Añadir el pescado, los mariscos, los mejillones y dejar hervir a fuego lento, tapado, durante 5-6 minutos más, revolviendo de vez en cuando, hasta que los mejillones hayan abierto y todo esté cocido. Volver a sazonar y servir con el rouille.

Rouille

1 Machacar el ajo con el chile, el cilantro y la sal en un mortero (molcajete). Agregar la mayonesa y el aceite, revolver bien y sazonar al gusto. Refrigerar hasta que vaya a servirse. **Rinde 4 porciones**

Los pescados y mariscos recomendables son: salmonete, rape, besugo, bacalao, calamares, mejillones, camarones y almejas.

PIZZAS DE MARISCOS Y RÚCULA

Ingredientes

24 camarones, pelados

2 cucharadas de aceite de oliva

2 dientes de ajo, machacados

8 tubos chicos de calamar, en aros

2 bases para pizza de 23cm

2 cucharadas de puré de tomates deshidratados

16 filetes de anchoa en aceite, escurridos y picados

125g de queso mozzarella, rallado

½ taza de rúcula

40g de queso parmesano

Preparación

1 Precalentar el horno a 220°C. Meter dos charolas grandes al horno para que se calienten.

2 Enjuagar los camarones y secar con tollas de papel. Calentar el aceite en una sartén grande, agregar el ajo, los camarones y los calamares, y freír revolviendo constantemente durante 3 minutos, o hasta que los camarones se pongan rosas y los calamares se opaquen.

3 Untar el puré de tomate en las bases de las pizzas y servir encima los mariscos cocidos, las anchoas y el mozzarella. Colocar en las charolas calientes y hornear durante 10-12 minutos, hasta que se dore el queso; intercambiar las charolas a la mitad de la cocción. Espolvorear las pizzas con rúcula y el queso parmesano para servir. **Rinde 4 porciones**

CAMARONES CON ESPINACAS

Ingredientes

⅓ taza de aceite de oliva

1 cebolla, picada

1 pimiento rojo, picado

1 diente de ajo, machacado

2 jitomates Saladet, pelados y
picados

1½ manojos de espinaca, lavada y
en trozos grandes

2 cucharadas de vino blanco seco

jugo de 1 limón

sal y pimienta negra recién molida

500g de camarones crudos,
pelados, desvenados y con cola

Preparación

1   Calentar 2 cucharadas de aceite de oliva en una cacerola, agregar la cebolla y dorar. Añadir el pimiento,
el ajo y los jitomates, y cocinar durante 7 minutos. Incorporar las espinacas, el vino blanco, el jugo de limón,
y sazonar al gusto.

2   Tapar y hervir a fuego muy lento durante 8-10 minutos, o hasta que las espinacas estén tiernas. Retirar
del fuego, revolver y conservar caliente.

3   Colocar el resto del aceite de oliva en una sartén grande. Una vez caliente, agregar los camarones
y saltearlos, revolviendo constantemente, durante 3 minutos, o hasta que se cuezan.

4   Añadir los camarones a las espinacas, revolver y servir en un platón caliente. Acompañar con gajos de limón.
Rinde 4 porciones

CAMARONES CON NARANJA ITALIANA Y TOMILLO

Ingredientes

1kg de camarones, pelados, sin cabeza, con cola

4 cucharadas de aceite de oliva

3 cucharadas de jugo de naranja italiana

2 dientes de ajo, machacados

1 manojo chico de tomillo, sin hojas y sin tallos

Preparación

1 Cortar los camarones por el lomo y sacar la vena.

2 Revolver la mitad del aceite, el jugo de naranja, el ajo y el tomillo en un tazón. Agregar los camarones, revolver bien y dejar marinar durante 2-3 horas.

3 Calentar el resto del aceite en una cacerola grande; sacar los camarones de la marinada y cocinar rápido durante 2-3 minutos. Escurrir en toallas de papel absorbente. Añadir la marinada a la cacerola con cuidado, dejar reducir durante 1 minuto y bañar los camarones.

4 Servir con gajos de limón y más tomillo. **Rinde 4 porciones**

CAMARONES CON AJO

Ingredientes

1kg de camarones

4 dientes de ajo, sin semillas y picados

1 chile rojo fresco, sin semillas y picado

¼ taza de aceite de oliva

Jugo de 2 limones

Pimienta negra

1 limón, en gajos

Preparación

1 Quitar las cabezas y pelar los camarones, dejando las colas intactas. Colocar los camarones en un platón.

2 Revolver el ajo, el chile, el aceite, el jugo de limón y la pimienta. Vaciar sobre los camarones y dejar reposar durante 20 minutos. Cocinar en una sartén mediana a fuego medio durante 3 minutos de cada lado, hasta que los camarones se pongan rojos.

3 Servir en platos individuales o en un platón grande. Bañar los camarones con los jugos de la sartén. Adornar con gajos de limón y servir inmediatamente. **Rinde 4 porciones**

CAMARONES CON SALSA DE TOMATE PROVENZAL

400g de camarones crudos

2 cucharadas de aceite de oliva

1 diente de ajo, finamente picado

1 cucharadita de chiles secos machacados

3 jitomates Saladet, finamente picados

4 tomates deshidratados en aceite, escurridos y finamente picados

2 cucharaditas de vinagre de vino tinto

6 aceitunas negras, sin hueso, en cuartos

¼ taza de albahaca fresca, picada

Sal y pimienta negra

1 Pelar los camarones, abrir el lomo y sacar la vena negra. Enjuagar bien y secar con toallas de papel absorbente.

2 Calentar el aceite en una sartén grande y freír el ajo y los chiles durante 1 minuto, para soltar el sabor. Agregar los camarones y freír a fuego medio durante 3 minutos, o hasta que se pongan rosas y estén bien cocidos.

3 Incorporar los jitomates frescos y los deshidratados, y cocinar a fuego lento durante 1 minuto; retirar del fuego y añadir el vinagre de vino, las aceitunas y la albahaca. **Rinde 4 porciones**

LINGUINE CON CAMARONES Y OSTIONES

Ingredientes

400g de linguine o tallarines

1kg de jitomates Saladet

6 cucharadas de aceite de oliva

sal y pimienta negra recién molida

200g de ostiones

200g de camarones, pelados

150g de calamares, en aros

200g de trozos de pescado firme blanco

2 dientes de ajo, machacados

1 cebolla española, en cubos

1 cucharada de puré de tomate

4 cucharadas de agua

½ manojo de perejil, picado

40g de queso parmesano, rallado

Preparación

1 Precalentar el horno a 180°C. Poner a hervir agua con sal en una cacerola grande, agregar la pasta y cocinar durante 8 minutos, o hasta que esté suave, pero firme en el centro (al dente). Escurrir, reservar y conservar caliente.

2 Cortar los jitomates a la mitad y colocar en una charola para hornear. Bañar con 2 cucharadas de aceite de oliva, espolvorear con un poco de sal y pimienta, y asar en el horno durante 20-25 minutos.

3 Colocar los jitomates en el procesador de alimentos durante unos segundos. No procesar demasiado, la mezcla debe tener textura.

4 Calentar la mitad del aceite en una sartén a fuego medio y saltear los ostiones y los camarones durante 2 minutos, hasta que se cuezan, y reservar. Agregar los calamares y cocinar durante 2 minutos, antes de sacarlos de la sartén. De ser necesario, añadir más aceite y saltear el pescado durante unos minutos hasta que se cueza, reservar.

5 Calentar el resto del aceite y saltear el ajo y la cebolla durante unos minutos, hasta que estén suaves. Agregar la mezcla del jitomate, el puré de tomate y el agua, cocinar a fuego lento durante 10 minutos. Con cuidado, añadir los mariscos a la salsa, sazonar con sal y pimienta, y revolver bien con el perejil.

6 Servir el linguine con la salsa y espolvorear con el queso parmesano. **Rinde 4 porciones**

MEJILLONES CON JENGIBRE Y PESTO

Ingredientes

2kg de mejillones frescos

⅓ taza de vino blanco

2 dientes de ajo, machacados

4 rebanadas de prosciutto (jamón serrano), finamente picado

90g de pan molido blanco

2 cucharadas de pesto (salsa preparada con ajo, albahaca, piñones y aceite de oliva)

1 pieza de jengibre fresco de 8cm, rallado

Preparación

1 Lavar los mejillones. Remojar en agua fría durante 5 minutos, escurrir y repetir el proceso. Quitar las barbas y desechar los mejillones que estén abiertos o magullados. Colocar en una cacerola grande con el vino y el ajo. Tapar y cocinar a fuego alto durante 3 minutos o hasta que abran los mejillones, agitando la cacerola de vez en cuando. Tirar los que no se abran.

2 Sacar los mejillones de la cacerola y reservar el líquido de la cocción. Quitar la concha superior de cada mejillón y colocar los mejillones en una charola para horno. Colar el líquido con una muselina o un trapo de cocina limpio. Revolver el prosciutto, el pan molido, el pesto y el jengibre; incorporar 1-2 cucharadas del líquido de los mejillones para humedecer.

3 Precalentar la parrilla a fuego alto. Con una cuchara, servir un poco de la mezcla en cada mejillón, asar a la parrilla durante 2 minutos o hasta que se doren y burbujeen. **Rinde 4 porciones**

MEJILLONES CON SALSA DE TOMATE

Ingredientes

1 cucharada de aceite de oliva
1 cebolla chica, finamente picada
1 diente de ajo, machacado
2 latas de 400g de tomates, escurridos
½ cucharadita de azúcar

½ cucharadita de sal
Pimienta negra recién molida
3 hojas largas de albahaca,
  en trozos grandes
1kg de mejillones

Preparación

1 Calentar el aceite en una sartén grande y saltear la cebolla y el ajo a fuego bajo, hasta que estén transparentes. Agregar los tomates, el azúcar, la sal y la pimienta. Dejar hervir a fuego lento durante 20 minutos. Añadir la albahaca y conservar caliente.

2 Lavar los mejillones y quitar las barbas, desechar los que ya estén abiertos. Colocar los mejillones en una cacerola grande con un poco de agua hirviendo. Tapar y cocinar a fuego alto hasta que se abran las conchas; desechar los que no se abran.

3 Escurrir, y colocar los mejillones en un platón, bañar con la salsa tibia y adornar con más albahaca.
Rinde 4 porciones

FETTUCCINE RÁPIDO CON OSTIONES

Ingredientes

500g de fettuccine
30g de mantequilla
1 pimiento rojo, cortado en tiras finas
2 cebollas de cambray,
  finamente picadas

1 taza de crema
500g de ostiones
Pimienta negra recién molida
¼ taza de perejil fresco, finamente
  picado

Preparación

1 Poner a hervir agua con sal en una cacerola grande, agregar la pasta y cocinar durante 8 minutos, o hasta que esté suave, pero firme en el centro (al dente). Escurrir, reservar y conservar caliente.

2 Fundir la mantequilla en una sartén grande y saltear el pimiento y las cebollas de cambray durante 1-2 minutos. Añadir la crema y dejar que suelte el hervor, bajar la flama y dejar que hierva a fuego lento durante 5 minutos, o hasta que la salsa se reduzca ligeramente y espese.

3 Incorporar los ostiones a la salsa y cocinar durante 2-3 minutos, o hasta que los ostiones estén opacos. Sazonar al gusto con pimienta negra. Colocar el fettuccine en un platón caliente, bañar con la salsa y espolvorear con el perejil. Servir con limón. **Rinde 4 porciones**

ESPAGUETI CON ATÚN Y BERROS

Ingredientes

500g de espagueti

500g de filetes de atún, finamente rebanados

1 manojo de berros, sin hojas y sin tallos

125g de aceitunas negras

Jugo y ralladura fina de 2 limones

1 pieza de 2cm de jengibre, finamente rallado

¼ taza de vinagre balsámico o de vino tinto

1 cucharada de aceite de oliva

Preparación

1   Poner a hervir agua con sal en una cacerola grande, agregar la pasta y cocinar durante 8 minutos, o hasta que esté suave, pero firme en el centro (al dente). Escurrir, reservar y conservar caliente.

2   Agregar el resto de los ingredientes a la pasta caliente y revolver bien. Servir inmediatamente.
Rinde 4 porciones

El atún no se cocina antes de añadirlo a la pasta porque el calor de la pasta lo cocinará. Puede usarse atún en lata escurrido si lo desea.

PASTA DE CONCHA CON SALSA DE ANCHOAS

Ingredientes

500g de pasta de concha chica

2 cucharadas de aceite de oliva

3 cebollas, picadas

1 diente de ajo, machacado

½ taza de vino blanco seco

8 anchoas enlatadas

1 ramito de romero fresco, sin hojas, picado

1 taza de caldo de res o de pollo

1 chile rojo fresco, sin semillas y rebanado

60g de queso parmesano, rallado

Preparación

1   Poner a hervir agua con sal en una cacerola grande, agregar la pasta y cocinar durante 8 minutos, o hasta que esté suave, pero firme en el centro (al dente). Escurrir, reservar y conservar caliente.

2   Para preparar la salsa, calentar el aceite en una sartén grande y saltear las cebollas y el ajo a fuego medio durante 10 minutos, o hasta que se suavice la cebolla. Incorporar el vino y las anchoas, y dejar que suelte el hervor durante 2-3 minutos, o hasta que se reduzca el vino a la mitad.

3   Agregar el romero y el caldo, dejar que vuelva a soltar el hervor hasta que la salsa se reduzca y espese ligeramente. Añadir el chile y la pasta a la salsa, revolver, espolvorear con queso parmesano y servir de inmediato. **Rinde 4 porciones**

PENNE CON AZAFRÁN Y CAMARONES

Ingredientes

500g de penne

30g de mantequilla

1 cucharada de harina blanca

1 taza de leche baja en grasa

1 pizca de hilos de azafrán

¼ taza de salvia fresca, picada

500g de camarones cocidos,
  pelados y desvenados

125g de chícharos chinos

Preparación

1   Poner a hervir agua con sal en una cacerola grande, agregar la pasta y cocinar durante 8 minutos, o hasta que esté suave, pero firme en el centro (al dente). Escurrir, reservar y conservar caliente.

2   Para preparar la salsa, fundir la mantequilla en una cacerola chica a fuego medio, añadir la harina y cocinar durante 1 minuto. Retirar la cacerola del fuego y agregar la leche, batiendo con un tenedor, el azafrán y la salvia. Regresar la cacerola a la estufa y cocinar, revolviendo, durante 3-4 minutos o hasta que la salsa hierva y espese.

3   Agregar los camarones y los chícharos chinos a la pasta caliente, y revolver. Bañar con la salsa y servir inmediatamente. **Rinde 4 porciones**

TAGLIATELLE CON PULPO Y CHILE

1kg de pulpos baby, limpios

500g de tagliatelle de espinaca o
tallarines

Marinada de chile y jengibre

1 cucharada de aceite de oliva

4 dientes de ajo, picados

2 cucharadas de jugo de limón

2 chiles rojos, sin semillas
y picados

Salsa de tomate

2 cucharaditas de aceite de oliva

2 cebollas de cambray, picadas

400g de puré de tomate enlatado

Preparación

1   Para preparar la marinada, colocar el aceite de oliva, el ajo, el jugo de limón y el chile en un tazón grande. Agregar el pulpo, revolver para cubrir, tapar y marinar en el refrigerador durante 3-4 horas.

2   Poner a hervir agua con sal en una cacerola grande, agregar la pasta y cocinar durante 8 minutos, o hasta que esté suave, pero firme en el centro (al dente). Escurrir, reservar y conservar caliente.

3   Para preparar la salsa, calentar el aceite en una cacerola a fuego medio. Agregar las cebollas de cambray y saltear, sin dejar de revolver, durante 1 minuto. Incorporar el puré de tomate, y dejar que hierva a fuego lento durante 4 minutos.

4   Cocinar los pulpos en la parrilla precalentada durante 5-7 minutos, o hasta que se suavicen. Agregarlos a la salsa y revolver bien. Servir la mezcla sobre la pasta caliente y revolver. **Rinde 4 porciones**

FETTUCCINE CON SALMÓN AHUMADO

Ingredientes

500g de fettuccine

125g de chícharos,
frescos o congelados

¼ taza de vino blanco

1¼ tazas de crema

8 rebanadas de salmón ahumado

3 cebollas de cambray, finamente picadas

Pimienta negra recién molida

Preparación

1   Poner a hervir agua con sal en una cacerola grande, agregar la pasta y cocinar durante 8 minutos, o hasta que esté suave, pero firme en el centro (al dente). Escurrir, reservar y conservar caliente.

2   Escaldar los chícharos en agua hirviendo durante 2 minutos. Refrescar bajo el chorro de agua, escurrir y reservar. Colocar el vino en una sartén grande y dejar que suelte el hervor. Añadir 1 taza de crema y hervir hasta que la salsa se reduzca y espese. Colocar 4 rebanadas de salmón ahumado, las cebollas de cambray y el resto de la crema en el procesador de alimentos, y hacer un puré. Incorporar la mezcla del salmón ahumado a la salsa y cocinar hasta que se caliente.

3   Cortar el resto del salmón en tiras, añadirlas junto con los chícharos a la salsa; sazonar al gusto con pimienta negra. Vaciar la salsa en el fettuccine y revolver. Servir de inmediato. **Rinde 4 porciones**

BUCATINI CON SALSA DE ANCHOAS Y ACEITUNAS

Ingredientes

500g de bucatini o espagueti

150g de aceitunas verdes sin hueso, rebanadas

60g de queso parmesano, rallado

60g de nueces, finamente picadas

¼ taza de perejil fresco, picado

2 ramas de orégano fresco, sin hojas y picadas

¼ taza de albahaca fresca, picada

2 filetes de anchoas, picadas

½ taza de aceite de oliva extra virgen

pimienta negra recién molida

Preparación

1 Poner a hervir agua con sal en una cacerola grande, agregar la pasta y cocinar durante 8 minutos, o hasta que esté suave, pero firme en el centro (al dente). Escurrir, reservar y conservar caliente.

2 Colocar las aceitunas, el queso parmesano, las nueces, el perejil, el orégano, la albahaca y las anchoas en un tazón, y revolver bien. Poco a poco, incorporar el aceite para hacer una pasta homogénea. Dejar reposar durante 1 hora. Sazonar al gusto con pimienta negra. Tapar y guardar en el refrigerador hasta por 5 días.

3 Servir la salsa sobre la pasta. **Rinde 4 porciones**

Si la salsa se guardó en el refrigerador, dejar que adquiera la temperatura ambiente antes de mezclarla con la pasta cocida y caliente. Si la salsa está muy espesa, agregar 1-2 cucharadas de agua caliente.

CANELONES DE MARISCOS

8 láminas de lasaña fresca,
escaldada

Relleno

30g de mantequilla

300g de filetes firmes de pescado
blanco, en trozos

280g de ostiones

pimienta blanca molida

jugo de limón fresco

300g de queso ricotta, escurrido

¼ taza de perejil fresco, picado

½ manojo chico de cebollines,
picado

1 huevo, ligeramente batido

nuez moscada molida

Salsa

30g de mantequilla

1 cebolla chica, finamente picada

1 diente de ajo, machacado

1 pizca grande de hilos de azafrán

1 taza de crema espesa

pimienta blanca

Preparación

1 Para preparar el relleno, calentar la mantequilla en una cacerola a fuego medio, agregar el pescado, los ostiones y cocinar durante 4-5 minutos, hasta que estén opacos. Sazonar al gusto con el jugo de limón y la pimienta blanca. Con una espumadera, pasar los mariscos a un tazón, reservando los jugos de la cocción. Añadir el queso ricotta, el perejil, el cebollín, el huevo y la nuez moscada a los mariscos, y revolver bien.

2 Para preparar la salsa, poner la mantequilla en una sartén a fuego medio, agregar la cebolla y el ajo, y saltear durante 4-5 minutos. Añadir el azafrán y cocinar durante 1 minuto; después, incorporar la crema, los jugos de la cocción que se reservaron, y la pimienta blanca. Dejar que suelte el hervor, bajar la flama y dejar que hierva a fuego lento durante 5 minutos, o hasta que espese ligeramente la salsa. Colar y desechar los sólidos.

3 Precalentar el horno a 180°C. Para preparar los canelones, servir un poco de relleno en el centro de cada lámina de pasta y enrollar. Acomodar uno junto a otro en un refractario ligeramente engrasado, bañar con la salsa, tapar con papel aluminio y hornear durante 25 minutos, o hasta que se calienten bien. Servir adornado con cebollín. **Rinde 4 porciones**

FETTUCCINE ALFREDO CON SALMÓN AHUMADO

Ingredientes

20g de mantequilla

1 diente de ajo grande, machacado

1 cucharada de harina blanca

1 taza de leche descremada

80g de queso parmesano, rallado

⅓ taza de crema agria

½ manojo chico de eneldo fresco,
picado

500g de fettuccine

250g de salmón ahumado,
en trozos chicos

2 cucharadas de alcaparras

Preparación

1 Derretir la mantequilla en una cacerola a fuego bajo. Agregar el ajo y saltear durante 1 minuto. Añadir la harina, revolviendo constantemente. Poco a poco, incorporar la leche y cocinar hasta que espese, revolviendo de vez en cuando. Agregar el parmesano y la crema agria, y cocinar, revolviendo hasta que se funda el queso. Añadir el eneldo, reservar y conservar caliente.

2 Poner a hervir agua con sal en una cacerola grande, agregar la pasta y cocinar durante 8 minutos, o hasta que esté suave, pero firme en el centro (al dente). Escurrir, colocar en un tazón grande y agregar el salmón, las alcaparras y la salsa. Revolver y servir de inmediato. **Rinde 4 porciones**

PASTA CON OSTIONES Y PIMIENTO ROJO

Ingredientes

500g de linguine o tallarines

1 cucharada de aceite de oliva

500g de ostiones

100g de prosciutto (jamón serrano), en trozos chicos

2 cucharadas de jugo de limón

¼ taza de albahaca fresca, picada

pimienta negra recién molida

1 taza de caldo de pollo

1 pimiento rojo, cortado en tiras finas

2 poros, en tiras

Gremolata

3 dientes de ajo, machacados

½ manojo de perejil de hoja lisa, finamente picado

ralladura fina de 2 limones

Preparación

1 Para preparar la gremolata, colocar el ajo, el perejil y la ralladura de limón en un tazón, y revolver bien.

2 Poner a hervir agua con sal en una cacerola grande, agregar la pasta y cocinar durante 8 minutos, o hasta que esté suave, pero firme en el centro (al dente). Escurrir, reservar y conservar caliente.

3 Calentar el aceite e un sartén a fuego medio. Agregar los ostiones y el prosciutto y freír, sin dejar de revolver, durante 2 minutos, o hasta que los ostiones se opaquen y el prosciutto esté crujiente. Retirar la sartén del fuego, incorporar el jugo de limón, la albahaca y la pimienta negra, y reservar.

4 Colocar el caldo en una cacerola y hervir a fuego lento hasta que se reduzca a la mitad. Agregar el pimiento y el poro, y dejar que hierva a fuego lento durante 3 minutos. Añadir la mezcla de pasta y ostiones a la cacerola. Revolver bien, dividir en tazones tibios y acompañar con gremolata. **Rinde 4 porciones**

FETTUCCINE CON VERDURAS Y OSTIONES

Ingredientes

500g de fettuccine

2 cucharadas de aceite de oliva

2 tallos de apio, finamente rebanados

1 pimiento rojo, finamente rebanado

2 zanahorias, finamente rebanadas

3 cebollas de cambray, finamente rebanadas

500g de ostiones

½ taza de jugo de naranja fresco

¼ cucharadita de hojuelas de chile rojo

ralladura de 1 naranja

Preparación

1 Poner a hervir agua con sal en una cacerola grande, agregar la pasta y cocinar durante 8 minutos, o hasta que esté suave, pero firme en el centro (al dente). Escurrir, reservar y conservar caliente.

2 Calentar el aceite en una sartén grande y agregar el apio, el pimiento, las zanahorias y las cebollas de cambray. Freír hasta que estén crujientes pero tiernos.

3 Rebanar los ostiones en tercios, añadirlos a las verduras y freír hasta que se opaquen, 1-2 minutos aproximadamente. Incorporar el jugo de naranja, las hojuelas de chile y la ralladura de naranja. Cocinar durante 2 minutos más y verter sobre la pasta cocida. Adornar con perejil fresco. **Rinde 4 porciones**

PASTA CON OSTIONES Y PIMIENTO ROJO

PENNE AL HORNO CON JITOMATES Y ANCHOAS

Ingredientes

350g de jitomates Saladet maduros

150g de queso mozarella, rallado

100g de queso parmesano, rallado

50g de queso cheddar añejo, rallado

8 ramas de orégano, sin hojas y picadas

⅓ taza de aceite de oliva extra virgen

sal y pimienta negra recién molida

40g de mantequilla

1 cebolla, finamente picada

2 dientes de ajo, finamente picados

500g de penne

4 filetes de anchoa, escurridos y picados

Preparación

1 Precalentar el horno a 200°C. Colocar los jitomates en un tazón y cubrir con agua hirviendo. Dejar reposar durante 30 segundos; después, pelar, quitar las semillas y picar.

2 Mezclar con el queso mozzarella, el parmesano y el cheddar, el orégano, 2 cucharadas de aceite de oliva, y sazonar.

3 En una sartén, calentar 2 cucharadas del resto del aceite junto con la mantequilla. Agregar la cebolla y saltear durante 5-7 minutos, hasta que se suavice. Añadir el ajo y saltear durante 1 minuto. Incorporar los jitomates y un poco más de sal, y cocinar durante 5 minutos, hasta que se suavicen los jitomates.

4 Poner a hervir agua con sal en una cacerola grande, agregar la pasta y cocinar durante 8 minutos, o hasta que esté suave, pero firme en el centro (al dente). Escurrir y revolver con la salsa de jitomate. Engrasar ligeramente un refractario y esparcir 2-3 cucharadas de la mezcla de queso y la mitad de las anchoas en la base. Añadir la pasta, cubrir con el resto de las anchoas y la mezcla de quesos. Bañar con el resto del aceite y hornear durante 15-20 minutos, hasta que se dore. Servir con ensalada verde. **Rinde 4 porciones**

cocina selecta

aves

POLLO ASADO RELLENO DE HIERBAS

Ingredientes

4 pechugas de pollo, con piel

2 cucharadas de yogur natural espeso

1 diente de ajo, machacado

1 cucharadita de aceite de oliva

¼ taza de menta, finamente picada

¼ taza de perejil de hoja lisa, finamente picado

8 ramas de orégano, sin hojas y finamente picado

8 ramas de tomillo, sin hojas y sin tallos

2 cebollas de cambray, finamente picadas

sal y pimienta negra recién molida

Preparación

1 En un tazón chico, revolver bien todos los ingredientes, excepto el pollo.

2 Con los dedos, meter con cuidado un cuarto de la mezcla bajo la piel de cada pechuga de pollo. Usar los dedos para acomodar el relleno a lo largo de la piel. Tapar y refrigerar durante 2 horas.

3 Precalentar el horno a 180°C. Colocar el pollo en una parrilla, y hornear durante 15-17 minutos. Cuando los jugos salgan claros, el pollo está cocido. **Rinde 4 porciones**

RISOTTO CON AZAFRÁN Y POLLO

Ingredientes

4 tazas de caldo de verduras

1 taza de vino blanco seco

1 cucharada de aceite vegetal

2 filetes de pechuga de pollo, rebanados

50g de mantequilla

3 poros, rebanados

2 tazas de arroz Arborio o de grano corto

1 pizca de hilos de azafrán

60g de queso parmesano, rallado

pimienta negra recién molida

Preparación

1 Colocar el caldo y el vino en una cacerola y dejar que suelte el hervor a fuego medio. Bajar la flama y conservar caliente.

2 Calentar aceite en una cacerola a fuego medio; agregar el pollo y freír, sin dejar de revolver, durante 5 minutos, o hasta que el pollo esté suave. Sacar el pollo de la cacerola y reservar.

3 Añadir la mantequilla y los poros a la misma cacerola, y freír a fuego lento durante 8 minutos, o hasta que se dore y se caramelice el poro.

4 Agregar el arroz y el azafrán a la cacerola, y cocinar a fuego medio, revolviendo constantemente, durante 3 minutos, o hasta que el arroz esté translúcido. Verter 1 taza de la mezcla de caldo caliente y cocinar, revolviendo constantemente, hasta que se absorba el líquido. Continuar cocinando así hasta que se use todo el caldo y el arroz esté suave.

5 Incorporar el pollo, el parmesano y la pimienta negra a la mezcla de arroz, y cocinar durante 2 minutos más. Servir inmediatamente. **Rinde 4 porciones**

POLLO ASADO RELLENO DE HIERBAS

POLLO RELLENO DE CHAMPIÑONES Y ESTRAGÓN

Ingredientes

2 cucharadas de aceite de oliva

1 poro chico, finamente picado

1 calabacita italiana chica, finamente picada

1 diente de ajo, machacado

50g de champiñones, finamente picados

50g de champiñones oyster o shiitake, finamente picados

¼ taza de estragón fresco, picado

pimienta negra

4 pechugas de pollo, sin piel, de 180g cada una

Preparación

1 Precalentar el horno a 200°C. Calentar la mitad del aceite en una cacerola. Agregar el poro, la calabacita italiana, el ajo y los champiñones, y cocinar durante 5 minutos, sin dejar de revolver, hasta que se suavicen. Retirar de la estufa y añadir el estragón y la pimienta negra.

2 Colocar las pechugas de pollo entre dos hojas grandes de papel encerado y aplanar con el rodillo. Dividir el relleno en porciones iguales entre las pechugas. Enrollar, doblar las puntas y cerrar con palillos húmedos. Barnizar con el resto del aceite y colocar en una charola para hornear de teflón.

3 Hornear durante 30-35 minutos, hasta que los jugos salgan claros al pinchar con un tenedor. Retirar los palillos y partir el rollo en rebanadas de 2.5cm, y adornar con estragón fresco. **Rinde 4 porciones**

PECHUGAS DE POLLO ASADAS CON SALSA DE PESTO

Ingredientes

4 filetes de pechuga, sin piel

2 cucharadas de aceite vegetal

sal y pimienta negra recién molida

Salsa de pesto

⅓ taza de crème frâiche o crema fresca

⅓ taza de pesto rojo o verde (salsa preparada con ajo, albahaca, piñones y aceite de oliva)

Preparación

1 Precalentar la parrilla a fuego alto.

2 Barnizar las pechugas de pollo con el aceite con una brocha para repostería o con el dorso de una cuchara; después, sazonar con sal y pimienta. Limpiar la rejilla de la parrilla con 1 cucharadita de aceite, y después colocar las pechugas de pollo.

3 Colocar debajo de la parrilla, de manera que el pollo esté a 10cm de distancia del calor. Asar durante 10-12 minutos de cada lado, barnizando con frecuencia con el resto del aceite, hasta que los filetes se cuezan bien. Verificar que el pollo esté cocido pinchando con un tenedor en el punto más grueso; el jugo que suelte debe salir claro.

4 Mientras, preparar el pesto. Revolver la crème frâiche y el pesto en una sartén chica y calentar a fuego bajo. Bañar sobre las pechugas y servir. **Rinde 4 porciones**

POLLO ASADO AROMÁTICO AL LIMÓN

Ingredientes

1 cabeza de ajo, cortada a la mitad en diagonal

2 limones, en rodajas

3 cardamomos (semillas aromáticas de sabor intenso, algo cítrico y dulce)

1 cucharadita de semillas de comino

4 clavos de olor

1¼kg de pollo

2 cucharadas de aceite de oliva

sal y pimienta negra

¾ taza de caldo de pollo

½ cucharada de harina blanca

Preparación

1   Precalentar el horno a 180°C. Colocar la mitad de la cabeza de ajo y la mitad de las rebanadas de limón en una asadera. Machacar ligeramente el cardamomo, el comino y los clavos en el mortero (molcajete), y agregar a la asadera. Meter unas cuantas de las rodajas de limón restantes bajo la piel del pollo, y las demás en la cavidad junto con la otra mitad del ajo.

2   Colocar el pollo en la asadera, con la pechuga hacia abajo, barnizar con aceite y sazonar. Añadir 2 cucharadas de caldo, tapar con papel aluminio y cocinar durante 1 hora. Voltear el pollo, bañar con el jugo de la cocción, y asar durante 1 hora más, o hasta que se cueza. Los jugos deben salir claros al pinchar la parte más gruesa del muslo con un tenedor.

3   Sacar el pollo de la asadera. Colar los jugos, quitar el exceso de grasa, devolver los jugos a la asadera y agregar la harina. Cocinar durante 1 minuto, sin dejar de revolver, agregar el resto del caldo, hervir a fuego lento durante 2 minutos más y seguir revolviendo. Servir el pollo bañado con el gravy. **Rinde 4 porciones**

RISSOLES DE POLLO EN SALSA DE TOMATE

Ingredientes

Rissoles

500g de pollo molido

1 cebolla mediana

¼ taza de perejil, finamente picado

½ cucharadita de sal

pimienta negra

1 huevo

½ taza de pan molido, seco

1 cucharada de agua

aceite para freír

Salsa de tomate

1 cebolla mediana, finamente picada

1 diente de ajo, machacado

1 cucharada de aceite

400g de tomates enlatados

1 cucharada de puré de tomate

½ taza de agua

1 rama de orégano, sin hojas y picada

1 cucharadita de azúcar

sal y pimienta

¼ taza de perejil, picado

Preparación

1   Colocar la carne molida de pollo en un tazón, rallar la cebolla sobre ella, y agregar el resto de los ingredientes del rissole, excepto el aceite. Revolver bien, y amasar un poco con la mano. Hacer pelotas con las manos húmedas. Calentar 1cm de aceite en una sartén, y saltear los rissoles hasta que cambien de color por ambos lados. Reservar en un plato.

2   Para la salsa, agregar a la sartén la cebolla y el ajo, y saltear un poco. Añadir el resto de los ingredientes de la salsa y dejar que suelte el hervor. Devolver los rissoles a la sartén, bajar la flama, tapar y dejar que hierva a fuego lento durante 30 minutos. Servir sobre espagueti. **Rinde 4 porciones**

POLLO CON RICOTTA, RÚCULA Y PIMIENTO ROJO ASADO

Ingredientes

250g de queso ricotta fresco

1 taza de rúcula, en trozos grandes

¼ taza de piñones, tostados

½ pimiento rojo, asado y finamente picado

sal y pimienta recién molida

4 pechugas de pollo, con piel

20g de mantequilla

1 taza de caldo de pollo

Preparación

1 Precalentar el horno a 200°C.

2 En un tazón chico, revolver el queso ricotta, la rúcula, los piñones, el pimiento, la sal y la pimienta, hasta que la mezcla quede homogénea.

3 Colocar 1-2 cucharadas de la mezcla de ricotta bajo la piel de cada pechuga. Engrasar ligeramente un refractario. Colocar las pechugas en el refractario, espolvorear con sal y pimienta, poner 1 cucharadita de mantequilla en cada una y verter el caldo alrededor del pollo. Hornear durante 20-25 minutos.

4 Servir el pollo con los jugos de la cocción y ensalada de rúcula. **Rinde 4 porciones**

CONCHIGLIE DE POLLO

Ingredientes

500g de pasta conchiglie o conchas medianas

30g de mantequilla

1 cebolla, finamente picada

1 diente de ajo, machacado

250g de pollo cocido, desmenuzado

½ taza de caldo de pollo

6 hojas de espinaca, en tiras

pimienta negra recién molida

60g de piñones, tostados

Preparación

1   Poner a hervir agua con sal en una cacerola grande, agregar la pasta y cocinar durante 8 minutos, o hasta que esté suave, pero firme en el centro (al dente). Escurrir, reservar y conservar caliente.

2   Derretir la mantequilla en una sartén grande y saltear la cebolla y el ajo, sin dejar de revolver, a fuego medio, durante 3-4 minutos. Añadir el caldo y el pollo y cocinar durante 4-5 minutos más.

3   Agregar las espinacas y la pasta, sazonar al gusto con pimienta negra y revolver bien. Espolvorear con los piñones y servir inmediatamente. **Rinde 4 porciones**

ESPAGUETI CON HÍGADOS DE POLLO Y CHAMPIÑONES

Ingredientes

500g de espagueti fresco

1 cucharada de aceite de oliva

90g de queso parmesano, rallado

Salsa de tomate

1 cucharada de aceite vegetal

30g de mantequilla

1 cebolla, picada

2 dientes de ajo, machacados

12 champiñones chicos, en mitades

400g de tomates Roma enlatados, sin escurrir y machacados

1 cucharadita de azúcar

1 taza de caldo de pollo

pimienta negra recién molida

Salsa de hígados de pollo

30g de mantequilla

250g de hígados de pollo, sin grasa y rebanados

1 rama de tomillo, sin hojas y sin tallos

⅓ taza de vino Marsala

¼ taza de perejil fresco, finamente picado

Preparación

1   Para preparar la salsa de tomate, calentar el aceite y la mantequilla en una sartén, y saltear la cebolla hasta que se suavice. Agregar el ajo y los champiñones, y saltear durante 2-3 minutos más. Revolver los tomates y el azúcar, y añadir a los champiñones. Cocinar a fuego bajo durante 10 minutos. Incorporar el caldo y dejar que hierva a fuego lento durante 30 minutos más, o hasta que la salsa espese y se reduzca. Sazonar al gusto con pimienta negra.

2   Para preparar la salsa de hígado de pollo, derretir la mantequilla en una cacerola y saltear los hígados de pollo y el tomillo a fuego medio, hasta que se doren. Subir la flama, agregar el Marsala y cocinar durante 1-2 minutos; después, incorporar el perejil.

3   Poner a hervir agua con sal en una cacerola grande, agregar la pasta y cocinar durante 8 minutos, o hasta que esté suave, pero firme en el centro (al dente). Escurrir y pasar por el aceite.

4   Vaciar la mitad de la pasta en un platón tibio, cubrir con la mitad de la mezcla de hígado de pollo y la mitad de la salsa de tomate. Espolvorear con la mitad del queso parmesano, y repetir las capas. Servir inmediatamente. **Rinde 4 porciones**

LINGUINE CON CHAMPIÑONES Y POLLO

Ingredientes

1 cucharada de aceite de girasol

2 filetes de pechuga de pollo, sin piel

6 dientes de ajo, con cáscara

250g de champiñones silvestres, rebanados

¾ taza de crema

sal y pimienta negra recién molida

500g de linguine fresco o tallarines

50g de mantequilla sin sal

80g de queso parmesano fresco, rallado

Preparación

1 Precalentar el horno a 200°C. Calentar el aceite en una sartén grande, agregar el pollo y freír durante 1 minuto de cada lado, o hasta que se dore. Partir las pechugas en diagonal y colocar en una sola capa en un refractario.

2 Añadir el ajo a la sartén y freír durante 3 minutos, o hasta que se suavice. Retirar de la sartén, dejar enfriar un poco, pelar, machacar y agregarlo al pollo junto con los champiñones y la crema; sazonar. Tapar el refractario con papel aluminio y hornear durante 20 minutos, o hasta que el pollo esté tierno y cocido.

3 Poner a hervir agua con sal en una cacerola grande, agregar la pasta y cocinar durante 8 minutos, o hasta que esté suave, pero firme en el centro (al dente). Escurrir, regresar la pasta a la sartén y revolver con la mantequilla y el parmesano. Pasar a un platón y encima servir con una cuchara la mezcla de pollo y champiñones.

Rinde 4 porciones

PAY DE POLLO, PIMIENTO ASADO, ACEITUNAS Y RICOTTA

Ingredientes

3 cucharadas de aceite de oliva

1 poro grande

1 diente de ajo, machacado

500g de pechuga de pollo, en cubos

1 manojo de espinacas inglesas, escaldadas

2 pimientos rojos, asados y picados

50g de aceitunas negras, sin hueso y en mitades

200g de queso ricotta, desmenuzado

¼ taza de perejil picado

4 ramitas de orégano, sin hojas y picadas

3 huevos

¼ taza de crema

pimienta recién molida

20g de mantequilla, fundida

16 hojas de pasta filo (láminas de masa de harina de trigo muy delgadas)

1 cucharada de semillas de ajonjolí

Preparación

1 Precalentar el horno a 180°C. Calentar una cucharada del aceite en una sartén grande; agregar el poro, el ajo, y cocinar durante 5 minutos, o hasta que se suavicen. Reservar.

2 Calentar otra cucharada de aceite; añadir el pollo por tandas y cocinar durante 6-8 minutos. Lavar las espinacas, exprimir el exceso de agua, y picar en trozos grandes.

3 En un tazón grande, revolver el pollo, las espinacas, los pimientos, las aceitunas, el queso ricotta, el perejil, el orégano, los huevos, la crema y la pimienta. Mezclar. Reservar.

4 Engrasar ligeramente una fuente de horno. Revolver el resto del aceite con la mantequilla. Extender dos hojas de pasta filo y barnizar con la mezcla de aceite. Colocar otras dos encima, y volver a barnizar. Repetir el proceso hasta tener 4 hojas dobles. Forrar la fuente de horno con la pasta filo, y cortar los bordes. Rellenar con la mezcla de pollo. Barnizar el resto de las hojas de pasta filo con aceite, usando la misma técnica recién descrita. Colocar encima de la fuente de horno, y doblar los bordes hacia dentro.

5 Barnizar la parte superior con el resto de la mezcla de aceite, espolvorear con las semillas de ajonjolí y hornear durante 40-45 minutos. **Rinde 4 porciones**

POLLO CON SALSA DE CREMA DE ALBAHACA

Ingredientes

3 cucharadas de harina blanca

sal y pimienta recién molida

4 filetes de pechuga de pollo

1 cucharada de aceite de oliva

1 cucharada de mantequilla

Salsa de crema de albahaca

1 cucharada de mantequilla

2 dientes de ajo, machacados

½ taza de caldo de pollo

½ taza de crema

¼ taza de jugo de limón

¼ taza de albahaca, finamente picada

pimienta recién molida

sal marina

Preparación

1 Revolver la harina, el pimiento y la sal en un tazón; revolcar de manera uniforme el pollo y eliminar el exceso.

2 Calentar el aceite y la mantequilla en una sartén; agregar el pollo y freír a fuego medio durante 5-6 minutos de cada lado. Sacar de la sartén y conservar caliente.

3 Para preparar la salsa, limpiar la sartén, calentar la mantequilla, agregar el ajo y saltear durante 2 minutos. Incorporar el caldo de pollo, la crema y el jugo de limón; dejar que suelte el hervor y reducir un poco.

4 Justo antes de servir, agregar la albahaca, sazonar con sal y pimienta, y servir la salsa con el pollo. **Rinde 4 porciones**

PAY DE POLLO, PIMIENTO ASADO,
ACEITUNAS Y RICOTTA

POLLO CON ORÉGANO Y LIMÓN

4 filetes de pechuga de pollo

4 ramas de orégano, sin hojas
  y picadas

sal y pimienta recién molida

2 cucharadas de aceite de oliva

600g de papas, en rebanadas de 5mm

½ taza de caldo de pollo

⅓ taza de jugo de limón

Preparación

1   Sazonar el pollo con la mitad del orégano, pimienta y sal.

2   Calentar el aceite en una sartén grande. Agregar el pollo y las papas, y dorar rápido durante 2-3 minutos.
    Verter el caldo, tapar y dejar hervir a fuego lento durante 10-15 minutos, hasta que se cueza el pollo.

3   Agregar el jugo de limón y el resto del orégano. Cocinar durante 3 minutos más. Servir inmediatamente.
    Rinde 4 porciones

RAVIOLES ABIERTOS DE POLLO Y CHAMPIÑONES

Ingredientes

pasta fresca en círculos
  de 24 x 65mm

4 champiñones porcini secos

⅓ taza de agua caliente

90g de mantequilla

300g de pollo molido

220g de champiñones, rebanados

3 cucharadas de Oporto o jerez seco

3 cucharadas de crema espesa

1½ cucharadas de caldo de pollo

pimienta negra recién molida

nuez moscada

¼ taza de perejil

⅓ taza de queso mascarpone, ricotta o
  queso crema

Preparación

1   Poner a hervir agua con sal en una cacerola grande, agregar la pasta y cocinar durante 8 minutos, o hasta
    que esté suave, pero firme en el centro (al dente). Sacar y colocar en trapos limpios de cocina en una sola
    capa para que se sequen.

2   Colocar los champiñones porcini en un tazón, verter agua caliente y remojar durante 3 minutos. Escurrir
    y picar finamente. Reservar el líquido.

3   Derretir ⅓ de la mantequilla en una sartén a fuego medio; agregar la carne molida de pollo y cocinar durante
    3 minutos, rompiendo el pollo con una cuchara de madera. Añadir los champiñones y cocinar durante
    2-3 minutos. Incorporar el porcini y reservar el líquido donde se remojaron. Agregar el Oporto o el jerez, la
    crema, el caldo, la nuez moscada y la pimienta negra; cocinar durante 4-5 minutos o hasta que se reduzca y
    espese la mezcla. Añadir el resto de la mantequilla.

4   Para servir, colocar 3 círculos de pasta en cada plato individual. Servir 1-2 cucharadas de la mezcla de
    pollo y champiñones en cada círculo. Tapar parcialmente con otro círculo de pasta. Servir una cucharada
    de queso mascarpone encima y adornar con perejil. Servir inmediatamente. **Rinde 4 porciones**

ROLLOS DE POLLO Y PORO

8 láminas de lasaña

Relleno

2 cucharaditas de aceite vegetal

2 poros, finamente rebanados

2 filetes de pechuga de pollo,
en tiras delgadas

⅓ taza de caldo de pollo

3 cucharaditas de maicena disuelta
en 2 cucharadas de agua

1 cucharadita de mostaza francesa

¼ taza de albahaca fresca, picada

pimienta negra recién molida

Salsa de jitomate

1 cucharada de aceite de oliva

1 cebolla, picada

4 jitomates Saladet, picados

½ cucharadita de chile en polvo

¼ taza de albahaca, finamente picada

sal y pimienta

Preparación

1   Poner a hervir agua con sal en una cacerola grande, agregar la pasta y cocinar durante 8 minutos, o hasta que esté suave, pero firme en el centro (al dente). Escurrir, reservar y conservar caliente.

2   Para preparar el relleno, calentar el aceite en una sartén grande y saltear el poro y el pollo, sin dejar de revolver, durante 4-5 minutos, o hasta que se dore el pollo. Incorporar el caldo, la mezcla de maicena, la mostaza y la albahaca; cocinar, sin dejar de revolver, durante 2 minutos más. Sazonar al gusto con pimienta negra.

3   Colocar cucharadas copeteadas de relleno en las láminas de lasaña, enrollar, bañar con salsa de jitomate y servir inmediatamente. **Rinde 4 porciones**

Salsa de tomate

1   En una sartén, calentar el aceite y saltear la cebolla hasta que se suavice. Agregar los jitomates y el chile en polvo, y cocinar durante 5 minutos. Revolver con la albahaca y sazonar al gusto.

PAPPARDELLE DE POLLO AHUMADO

Ingredientes

500g de pappardelle o fettuccine

300g de pechuga de pollo ahumada,
rebanada

½ taza de vino blanco

1 taza de crema espesa

½ manojo de cebollín fresco, picado

pimienta negra recién molida

Mantequilla de capuchina

10 flores capuchinas

125g de mantequilla, suavizada

1 diente de ajo, machacado

1 cucharada de jugo de limón

Preparación

1   Para preparar la mantequilla, picar finamente las flores capuchinas y colocar en un tazón con la mantequilla, el ajo y el jugo de limón; revolver bien y reservar.

2   Poner a hervir agua con sal en una cacerola grande, agregar la pasta y cocinar durante 8 minutos, o hasta que esté suave, pero firme en el centro (al dente). Escurrir, reservar y conservar caliente.

3   Calentar una sartén de teflón a fuego medio, añadir el pollo y cocinar, sin dejar de revolver, durante 1 minuto. Incorporar el vino, la crema, el cebollín y la pimienta negra; dejar hervir a fuego lento durante 4 minutos para que se reduzca. Para servir, poner la mezcla de pollo sobre la pasta, bañar con la mantequilla de capuchinas, y adornar con el resto de las flores. **Rinde 4 porciones**

ESPAGUETI CON SALSA DE HÍGADO DE POLLO

Ingredientes

500g de espagueti

30g de mantequilla

4 tiras de tocino, picado

1 cebolla, finamente picada

2 dientes de ajo, finamente picados

375g de hígados de pollo, picados

2 cucharaditas de harina blanca

¾ taza de caldo de pollo

1 cucharadita de puré de tomate

1 rama de mejorana, sin hojas y sin tallos

pimienta negra recién molida

¼ taza de crema agria

Preparación

1   Poner a hervir agua con sal en una cacerola grande, agregar la pasta y cocinar durante 8 minutos, o hasta que esté suave, pero firme en el centro (al dente). Escurrir, reservar y conservar caliente.

2   Derretir la mantequilla en una sartén y freír el tocino, la cebolla y el ajo a fuego medio durante 4-5 minutos, o hasta que se suavice la cebolla. Agregar los hígados de pollo y freír, sin dejar de revolver, durante 4-5 minutos, o hasta que los hígados cambien de color.

3   Incorporar la harina y mezclar poco a poco con el caldo. Añadir el puré de tomate, la mejorana y la pimienta negra al gusto. Tapar y cocinar, revolviendo de vez en cuando, a fuego lento durante 10 minutos. Incorporar la crema justo antes de servir.

4   Para servir, bañar la pasta con la salsa y adornar con mejorana fresca. **Rinde 4 porciones**

FETUCCINE DE POLLO CON SALSA DE CIRUELA PASA

Ingredientes

500g de fettuccine

1 cucharada de aceite de oliva

1 cebolla, finamente picada

2 dientes de ajo, picados

1 taza de ciruelas pasa sin hueso

½ taza de aceitunas verdes rellenas

¼ taza de alcaparras

1 taza de vino blanco seco

200g de lomo de pollo, en mitades a lo largo

1 rama de romero, trozada en 4 piezas

Preparación

1   Poner a hervir agua con sal en una cacerola grande, agregar la pasta y cocinar durante 8 minutos, o hasta que esté suave, pero firme en el centro (al dente). Escurrir, reservar y conservar caliente.

2   Calentar aceite en una sartén grande y saltear la cebolla y el ajo durante 5 minutos, o hasta que estén transparentes.

3   Agregar las ciruelas pasa, las aceitunas, las alcaparras y el vino a la sartén. Dejar que suelte el hervor y cocinar a fuego lento durante 5 minutos, o hasta que se reduzca un cuarto del líquido.

4   Añadir el pollo a la mezcla de ciruela y cocinar durante 3-4 minutos, o hasta que se cueza el pollo.

5   Revolver la mezcla de pollo con la pasta. Adornar cada porción con una rama de romero. **Rinde 4 porciones**

PASTA CREMOSA DE POLLO Y TOMATE DESHIDRATADO

Ingredientes

350g de penne

1 cucharada de aceite de oliva

500g de filetes de pechuga de pollo, finamente rebanados

4 cebollas de cambray, rebanadas

½ taza de tomates deshidratados, finamente rebanados

1 taza de crema espesa

2 cucharadita de mezcla de especias

Preparación

1   Poner a hervir agua con sal en una cacerola grande, agregar la pasta y cocinar durante 8 minutos, o hasta que esté suave, pero firme en el centro (al dente). Escurrir, reservar y conservar caliente.

2   Mientras, calentar el aceite en una sartén grande. A fuego medio-alto, freír el pollo durante 4-5 minutos, o hasta que se dore. Bajar el fuego a medio y agregar la cebolla de cambray; cocinar durante 1-2 minutos más, o hasta que se suavicen las cebollas. Añadir los tomates deshidratados, la crema y la mezcla de especias. Dejar que suelte el hervor y cocinar a fuego lento durante 2 minutos. Incorporar la pasta y cocinar hasta que esté bien caliente.

3   Servir en tazones inmediatamente. **Rinde 4 porciones**

RAVIOLES CON POLLO AL LIMÓN

Ingredientes

400g de ravioles de queso
  con espinaca

30g de mantequilla

300g de pechuga de pollo en cubos

1 diente de ajo, machacado

1¼ tazas de crema

¼ taza de jugo de limón

30g de queso parmesano fresco,
  rallado

½ manojo de cebollín fresco, picado

ralladura de 1 limón chico

30g de almendras fileteadas, tostadas

Preparación

1 Poner a hervir agua con sal en una cacerola grande, agregar la pasta y cocinar durante 8 minutos, o hasta que esté suave, pero firme en el centro (al dente). Escurrir, reservar y conservar caliente.

2 Derretir la mantequilla en una sartén a fuego lento; añadir el pollo y freír durante 2 minutos; agregar el ajo, y freír, sin dejar de revolver, durante 1 minuto. Incorpora la crema, el jugo de limón, el parmesano, el cebollín y la ralladura de limón, y hervir a fuego lento durante 2 minutos. Añadir el perejil y pimienta negra, y cocinar durante 1 minuto más. Servir la salsa sobre la pasta y revolver. Espolvorear con almendras y servir.
Rinde 4 porciones

FETTUCCINE CON POLLO Y FRIJOLES DE LIMA

150g de frijoles o habas de Lima secos

500g de fettuccine

2 cucharadas de aceite de oliva

1 diente de ajo, machacado

300g de pollo molido

400g de corazones de alcachofa enlatados, escurridos y picados

½ taza de albahaca fresca, picada

Preparación

1   Colocar los frijoles en un tazón grande, cubrir con agua fría y remojar durante toda la noche. Escurrir. Poner los frijoles en una cacerola grande, cubrir con agua fría, calentar y dejar que suelte hervor. Cocer durante 10 minutos, bajar la flama y dejar que hiervan a fuego lento durante 1 hora, o hasta que estén suaves. Escurrir y conservar calientes.

2   Poner a hervir agua con sal en una cacerola grande, agregar la pasta y cocinar durante 8 minutos, o hasta que esté suave, pero firme en el centro (al dente). Escurrir, reservar y conservar caliente.

3   En una sartén grande a fuego medio, agregar el aceite y el ajo, saltear durante 1 minuto. Añadir el pollo y saltear, revolviendo de vez en cuando, durante 4 minutos. Incorporar los corazones de alcachofa, los frijoles, la albahaca, y revolver bien. Agregar a la pasta, quitar del fuego y servir. Adornar con hojas de perejil. **Rinde 4 porciones**

PENNE CON POLLO, ALUBIAS Y ESPINACA

Ingredientes

200g de alubias pintas secas

500g de penne

2 cucharadas de aceite de oliva

250g de filetes de pechuga de pollo, en cubos

1 manojo chico de espinaca inglesa, picado

150g de tomates cherry, en mitades

Salsa de limón y hierbas

¼ taza de perejil fresco, picado

¼ taza de albahaca fresca, picada

ralladura de 1 limón chico

1 diente de ajo, machacado

¼ taza de aceite de oliva

2 cucharadas de jugo de limón

pimienta negra recién molida

Preparación

1   Colocar los frijoles en un tazón grande, cubrir con agua fría y remojar durante toda la noche. Escurrir. Poner los frijoles en una cacerola grande, cubrir con agua fría, calentar y dejar que suelten el hervor. Hervir durante 10 minutos, bajar la flama y dejar que hiervan a fuego lento durante 1-1½ horas, o hasta que estén suaves. Escurrir y conservar calientes.

2   Poner a hervir agua con sal en una cacerola grande, agregar la pasta y cocinar durante 8 minutos, o hasta que esté suave, pero firme en el centro (al dente). Escurrir, reservar y conservar caliente.

3   En una cacerola mediana a fuego medio, agregar el aceite y los trozos de pollo y saltear durante 5 minutos; añadir las espinacas, los tomates y los frijoles, revolver bien. Cocinar durante 3 minutos más.

4   Para preparar la salsa, colocar en un tazón chico el perejil, la albahaca, la ralladura de limón, el ajo, el aceite, el jugo de limón y la pimienta negra; revolver con un tenedor.

5   Revolver el pollo con la pasta, bañar con la salsa y revolver. Servir inmediatamente. **Rinde 4 porciones**

LASAÑA DE POLLO, TOMATE Y FRIJOLES

1 cebolla chica, finamente picada

1 cucharada de aceite de oliva

250g de pollo molido

1 hoja de laurel

¼ taza de vino blanco

1 frasco de 500g de salsa de tomate para pasta

400g de mezcla de tres frijoles enlatados, escurridos y enjuagados

30g de mantequilla

¼ taza de harina blanca

2 tazas de leche

120g de queso cheddar añejo, rallado

½ taza de perejil fresco, picado

1 pizca de nuez moscada

pimienta recién molida

16 láminas de lasaña instantánea

1 Saltear la cebolla en el aceite de oliva hasta que esté transparente, agregar el la carne de pollo molida y la hoja de laurel. Cocinar durante 5 minutos, rompiendo el pollo con una cuchara de madera. Incorporar el vino blanco, retirar del fuego y reservar.

2 Colocar la salsa para pasta y los frijoles en un tazón, y revolver bien.

3 Para preparar la salsa, derretir la mantequilla en una sartén a fuego bajo, agregar la harina y cocinar, sin dejar de revolver, durante 1 minuto. Retirar la sartén del fuego e incorporar la leche poco a poco. Devolver a la estufa y cocinar a fuego medio, sin dejar de revolver, hasta que hierva y se espese la salsa. Agregar el pollo, la mitad del queso, el perejil, la nuez moscada y la pimienta negra.

4 Precalentar el horno a 190°C. Para preparar la lasaña, forrar un refractario engrasada de 18 x 30cm con 4 láminas de lasaña. Servir parte de la mezcla de la salsa, y después un poco de la salsa de frijoles. Repetir las capas, terminar con una capa de lasaña y salsa. Espolvorear con el resto del queso y hornear durante 40-45 minutos. Dejar reposar la lasaña en un lugar caliente durante 10 minutos antes de partir para que las capas se asienten. **Rinde 4 porciones**

PENNE CON TOCINO E HÍGADOS DE POLLO

2 cucharadas de aceite vegetal

4 tiras de tocino sin grasa, picadas

1 cebolla chica, finamente picada

1 diente de ajo, machacado

250g de hígados de pollo, picados

2 cucharaditas de harina blanca

¾ taza de caldo de pollo

1 cucharada de puré de tomate

1 rama de mejorana, sin hojas y sin tallos

sal y pimienta negra recién molida

500g de penne

3 cucharadas de crema agria

¼ taza de albahaca fresca o perejil, picados

1 Calentar el aceite en una sartén grande y freír el tocino, la cebolla y el ajo durante 4-5 minutos, hasta que se suavicen. Agregar los hígados de pollo y freír, sin dejar de revolver, durante 3 minutos, o hasta que empiecen a dorar.

2 Incorporar el harina. Poco a poco, añadir el caldo, revolviendo en todo momento. Agregar el puré de tomate, la mejorana, y sazonar. Tapar el sartén y dejar hervir a fuego lento durante 10 minutos, o hasta que los hígados de pollo estén suaves y cocidos.

3 Poner a hervir agua con sal en una cacerola grande, agregar la pasta y cocinar durante 8 minutos, o hasta que esté suave, pero firme en el centro (al dente). Escurrir bien y pasar a un platón. Añadir la crema agria a la salsa, bañar la pasta y adornar con el perejil o la albahaca. **Rinde 4 porciones**

ESPAGUETI DE POLLO AL LIMÓN

Ingredientes

½ taza de aceite de oliva

2 dientes de ajo, molidos

1 taza de perejil fresco, picado

ralladura y jugo de 2 limones

sal y pimienta

500g de espagueti

¾ taza de piñones

300g de pollo molido

Preparación

1 Revolver la mitad del aceite con el ajo, el perejil, la ralladura y el jugo de limón. Sazonar con sal y pimienta. Revolver bien y dejar reposar durante 1 hora.

2 Después de 45 minutos, poner a hervir agua con sal en una cacerola grande, agregar la pasta y cocinar durante 8 minutos, o hasta que esté suave, pero firme en el centro (al dente). Justo antes de escurrir, reservar una taza chica del agua de la cocción. Escurrir la pasta y conservar caliente.

3 Calentar el resto del aceite en una sartén grande a fuego medio y agregar los piñones; saltear durante 1 minuto, revolviendo constantemente. Añadir el pollo y saltear durante 4 minutos, rompiendo los trozos de pollo y con cuidado de no quemar los piñones.

4 Devolver la pasta a la cacerola con la salsa de limón a fuego alto. Agregar un poco del agua de la cocción de la pasta para evitar que se seque. Añadir el pollo con los piñones y mezclar con cuidado para revolver todos los ingredientes; retirar del fuego, y servir. Juntar los piñones que se hayan quedado en el fondo de la cacerola para adornar la pasta, y servir con un gajo de limón. **Rinde 4 porciones**

FARFALLE DE POLLO CON ESPÁRRAGOS Y SALSA DE LIMÓN Y ALCAPARRAS

Ingredientes

500g de farfalle

60g de mantequilla

1 cucharada de alcaparras

3 cucharadas de harina blanca

¼ taza de jugo de limón

ralladura de 1 limón grande

300g de pollo cocido, picado

2 tazas de caldo de pollo

340g de espárragos, escurridos

1 pimiento rojo asado, cortado en tiras finas

Preparación

1 Poner a hervir agua con sal en una cacerola grande, agregar la pasta y cocinar durante 8 minutos, o hasta que esté suave, pero firme en el centro (al dente). Escurrir, reservar y conservar caliente.

2 Colocar la mantequilla en una sartén y derretir a fuego bajo. Agregar las alcaparras y la harina. Revolver y cocinar durante 1 minuto.

3 Añadir el jugo de limón, la ralladura, el pollo y el caldo. Dejar que suelte el hervor y dejar cocinar a fuego lento durante 4 minutos. Incorporar los espárragos a la salsa.

4 Bañar la pasta cocida y caliente con la salsa. Adornar con pimientos asados. **Rinde 4 porciones**

CANELONES DE POLLO

500g de láminas de pasta fresca, en cuadros de 10cm

40g de queso parmesano, rallado

Salsa

60g de mantequilla

¼ taza de harina blanca

2½ tazas de leche

300g de queso mozzarella, rallado

½ taza de perejil de hoja lisa, picado

2 yemas de huevo

Relleno

2 cucharadas de aceite de oliva

2 poros, finamente picados

2 dientes de ajo, machacados

½ taza de vino blanco

1 berenjena grande, finamente picada

2 champiñones, picados

450g de pollo molido

2 ramas de romero fresco, sin hojas y muy finamente picadas

sal y pimienta

Preparación

1 Precalentar el horno a 175°C. Poner a hervir agua con sal en una cacerola grande, agregar la pasta y cocinar durante 8 minutos, o hasta que esté suaver, pero firme en el centro (al dente). Escurrir y enjuagar bajo el chorro de agua para que se enfríe, reservar.

2 Para preparar la salsa, derretir la mantequilla en una cacerola a fuego medio. Incorporar la harina y cocinar hasta que ésta cambie de blanco a un tono castaño claro, 3-4 minutos aproximadamente. Verter la leche, sin dejar de revolver hasta que espese, 7 minutos aproximadamente. Retirar del fuego e incorporar el queso mozzarella hasta que se funda y se haga una salsa homogénea; agregar el perejil y las yemas de huevo batiendo con un tenedor; reservar y dejar enfriar.

3 Para preparar el relleno, calentar aceite de oliva en una sartén a fuego medio; agregar el poro y el ajo y saltear durante 4 minutos. Verter el vino blanco y reducir en dos tercios. Revolver el poro con la berenjena, los champiñones y la carne de pollo molida en un tazón mediano. Sazonar con el romero, sal y pimienta.

4 Repartir 1 taza de la salsa en la base de un refractario de 23 x 33cm. Formar los canelones, colocar 1 cucharada de relleno en cada cuadro de pasta y enrollar con firmeza; acomodar en el refractario cada canelón. Bañar con el resto de la salsa blanca, cubriendo toda la pasta. Espolvorear con el queso parmesano. Hornear hasta que el relleno esté firme y la parte superior de los canelones esté bien dorada, 25 minutos aproximadamente. **Rinde 4 porciones**

POLLO ITALIANO

4 filetes de pechuga de pollo, sin piel

¼ taza de harina sazonada

1 huevo, batido

1 taza de pan molido, seco

¼ taza de aceite vegetal

1 frasco de 500g de salsa de tomate para pasta

4 rebanadas de prosciutto (jamón serrano)

4 rebanadas de queso mozzarella

4 ramas de salvia fresca

Preparación

1 Colocar el pollo entre dos hojas de papel encerado y golpear ligeramente para aplanar. Espolvorear con la harina, bañar en el huevo y revolcar en el pan molido. Poner en un plato forrado con plástico adherente y refrigerar durante 15 minutos.

2 Calentar el aceite en una sartén grande a fuego medio; agregar el pollo y freír durante 2-3 minutos de cada lado, o hasta que se dore. Sacar de la sartén y reservar.

3 Añadir la salsa de tomate a la sartén y cocinar a fuego medio, sin dejar de revolver, durante 4-5 minutos, o hasta que se caliente. Colocar el pollo en una sola capa sobre la salsa, cubrir cada filete con una rebanada de prosciutto, una rebanada de queso y una rama de salvia. Tapar y dejar hervir a fuego lento durante 5 minutos, o hasta que el pollo esté bien cocido y se funda el queso. Servir inmediatamente. **Rinde 4 porciones**

POLLO ESCALFADO CON SALSA DE TOMATE Y CHAMPIÑONES

Ingredientes

1 cebolla mediana, finamente picada

1 diente de ajo, finamente picado

4 tomates bola grandes, maduros, escaldados, pelados y picados

100g de champiñones, rebanados

¼ taza de albahaca fresca, picada

¾ taza de agua

1 rama de orégano, sin hojas y picada

pimienta negra recién molida

4 filetes de pechuga de pollo, sin piel

300g de pasta de tornillo

1 cucharada de aceite de oliva

40g de queso parmesano, rallado

Preparación

1 Colocar la cebolla, el ajo, los tomates y los champiñones en una cacerola ancha a fuego moderado. Revolver hasta que empiecen a suavizar. Agregar la albahaca, el agua, el orégano y la pimienta; calentar un poco y agregar el pollo. Tapar y cocinar a fuego lento durante 20 minutos, hasta que el pollo esté suave. No dejar que hierva.

2 En otra cacerola grande, poner a hervir agua con sal, agregar la pasta y cocinar durante 8 minutos, o hasta que esté suave, pero firme en el centro (al dente). Escurrir y revolver con el aceite de oliva.

3 Dividir la pasta entre tazones individuales. Cuando esté cocido el pollo, servir encima de la pasta. Si la salsa está muy delgada, subir la flama y dejar que hierva hasta que se reduzca y espese. Bañar el pollo, espolvorear con queso parmesano y servir. **Rinde 4 porciones**

RISOTTO DE HÍGADO DE POLLO Y PIÑONES

Ingredientes

300g de hígados de pollo

50g de mantequilla

6 cebollas de cambray, picadas

1½ tazas de arroz Arborio o de grano corto

3 tazas de caldo de pollo, hirviendo

1 taza de perejil, picado

100g de piñones

100g de pasas

Preparación

1   Lavar los hígados de pollo y quitar los nervios. Picar los hígados a la mitad.

2   Calentar la mantequilla en un cacerola grande y saltear las cebollas de cambray durante 5 minutos, hasta que se suavicen. Agregar los hígados de pollo y saltear durante unos minutos más, hasta que cambien de color.

3   Añadir el arroz a la cacerola y cocinar a fuego medio, revolviendo constantemente, durante 3 minutos, o hasta que el arroz esté transparente. Verter 1 taza de caldo caliente a la mezcla de arroz y cocinar, revolviendo constantemente, hasta que se absorba el líquido. Continuar cocinando así hasta que se use todo el caldo y el arroz esté suave.

4   Agregar el perejil, los piñones y las pasas; revolver con el arroz y cocinar durante 3 minutos más. Apagar el fuego y dejar reposar tapado durante 10 minutos. **Rinde 4 porciones**

LASAÑA RÁPIDA DE POLLO

500g de filetes de muslo de pollo

sal y pimienta

1½ tazas de salsa de tomate
    para pasta

250g de láminas de lasaña
    instantáneas

90g de champiñones, rebanados

Cubierta

250g de queso ricotta

¾ taza de yogurt natural

40g de queso romano o parmesano,
    rallado

1 pizca de nuez moscada

2 huevos, ligeramente batidos

Preparación

1   Precalentar el horno a 180°C. Colocar los filetes entre dos plásticos y aplanar con un mazo para carne hasta que queden delgados. Sazonar con sal y pimienta.

2   Engrasar ligeramente con aceite un refractario para pastel o para lasaña. Esparcir una capa fina de salsa en la base. Sumergir 3-4 láminas de lasaña en un plato con agua y colocar en la base del refractario. Bañar con abundante salsa. Colocar los filetes sobre la salsa, en una sola capa, y cubrir con los champiñones. Humedecer otras 4 láminas de lasaña y colocar sobre los champiñones. Esparcir el resto de la salsa sobre la lasaña.

3   Mezclar todos los ingredientes de la cubierta y untar sobre la lasaña. Rallar un poco de queso parmesano sobre la superficie y colocar trocitos de mantequilla. Hornear durante 35-40 minutos. Deja reposar 10 minutos antes de servir. **Rinde 4 porciones**

POLLO PARMESANO AL HORNO

Ingredientes

30g de pan molido fresco, hecho con
    1 rebanada de pan blanco, sin corteza,
    80g de queso parmesano,
    finamente rallado

2 cebollas de cambray, finamente picadas

jugo y ralladura de ½ limón

60g de mantequilla, fundida

sal de mar y pimienta negra
    recién molida

4 filetes de pechuga de pollo, sin piel

¼ taza de perejil fresco, picado

Preparación

1   Precalentar el horno a 190°C. Mezclar en un tazón chico el pan molido, el queso parmesano, las cebollas de cambray, la ralladura, la mantequilla y sazonar. Dividir la mezcla entre las pechugas y, con un tenedor, oprimir para formar una capa uniforme.

2   Pasar las pechugas de pollo a un refractario y hornear durante 20 minutos. Sacar el pollo del molde y conservar caliente. Agregar el jugo de limón y el perejil a los jugos del molde, y revolver bien. Verter esos jugos sobre el pollo y servir de inmediato. **Rinde 4 porciones**

CODORNIZ CON LIMÓN Y SALVIA

Ingredientes

3 cucharadas de aceite de oliva

1 cucharada de jugo de limón

ralladura de ½ limón

1 diente de ajo, machacado

pimienta recién molida

sal de mar

4 codornices, en forma de mariposa

¼ taza de salvia, picada, más ¼ taza
de hojas enteras

¼ taza de caldo de pollo

Preparación

1 Precalentar el horno a 180°C.

2 Revolver 2 cucharadas de aceite de oliva, el jugo de limón, la ralladura, el ajo, la pimienta y la sal en un tazón. Reservar.

3 Calentar el resto del aceite en una cacerola grande, agregar la codorniz y las hojas de salvia picadas, dorar rápido. Reservar en una fuente de horno.

4 Añadir la mezcla de jugo de limón y el caldo de pollo a la cacerola. Regresar a la estufa, dejar que suelte el hervor y cocinar a fuego lento durante 1 minuto para que se reduzca, revolviendo con una cuchara de madera.

5 Verter sobre la codorniz y hornear durante 20-25 minutos. Adornar con las hojas de salvia enteras.
Rinde 4 porciones

POLLO DE LECHE ASADO CON ROMERO

Ingredientes

2 pollos de leche, de 500g cada uno,
en mitades

Marinada

¼ taza de aceite de oliva extra virgen

2 cucharadas de jugo de limón

1 rama de romero, sin hojas
y en trozos grandes

1 diente de ajo, machacado

pimienta negra recién molida

Preparación

1 Revolver los ingredientes de la marinada y batir con un tenedor para mezclar bien.

2 Colocar los pollos en un platón grande, bañar con la marinada y meter al refrigerador durante 3-4 horas.

3 Precalentar el horno a 180°C. Colocar los pollos en la asadera y hornear durante 35-40 minutos, bañando cada 15 minutos con los jugos de la cocción hasta que estén cocidos. Servir con papas al horno con romero (ver la página 168). **Rinde 4 porciones**

CODORNIZ CON LIMÓN Y SALVIA

POLLO DE LECHE EN HOJAS DE PARRA

Ingredientes

⅓ taza de miel líquida

⅓ taza de aceite de oliva

⅓ taza de jugo de naranja

4 ramas de hierba de limón,
 sin hojas y sin tallos

1 taza de vino blanco

4 pollos de leche, de 500g cada uno,
 en mitades

16-20 hojas de parra

Preparación

1   Mezclar la miel, el aceite, el jugo, la hierba de limón y el vino. Colocar los pollos en un tazón y bañar
    con la mitad del líquido. Tapar y refrigerar toda la noche, volteando una o dos veces.

2   Precalentar el horno a 180°C.

3   Envolver los pollos en las hojas de parra y cerrar con palillos. Hornear durante 25-30 minutos.
    Sacar las hojas y regresar los pollos al horno durante 10 minutos más, o hasta que se cuezan y doren.

4   Quitar los palillos y colocar los pollos en sus hojas.

5   Calentar el resto de la marinada en una cacerola y verter sobre los pollos antes de servir. **Rinde 4 porciones**

cocina selecta

carnes

ESPAGUETI A LA BOLOÑESA

400 g de espagueti

60g de queso parmesano

Salsa

1 cucharada de aceite de oliva

1 cebolla mediana, finamente picada

1 zanahoria, pelada y finamente picada

1 tallo de apio, finamente picado

2 dientes de ajo, finamente picados

250g de carne de res molida

2 latas de 400g de tomates, picados

1 hoja de laurel

2 ramas de orégano, sin hojas y picadas

1 cucharadita de azúcar

sal y pimienta negra

⅓ taza de vino tinto

Preparación

1 Para preparar la salsa, colocar el aceite en una cacerola a fuego medio. Agregar la cebolla, la zanahoria, el apio y el ajo; saltear, sin dejar de revolver, durante 5 minutos, o hasta que se suavicen las verduras.

2 Añadir la carne molida a la cacerola, romperla en pedazos con una cuchara de madera. Cocinar durante 10 minutos, o hasta que se dore la carne.

3 Incorporar los tomates, la hoja de laurel, el orégano, el azúcar, la sal y la pimienta; verter el vino tinto. Dejar que suelte el hervor y revolver bien; bajar la flama, tapar y cocinar durante 20-25 minutos, hasta que espese. Revolver la salsa de vez en cuando.

4 Poner a hervir agua con sal en una cacerola grande, agregar la pasta y cocinar durante 8 minutos, o hasta que esté suave, pero firme en el centro (al dente). Escurrir, reservar y conservar caliente.

5 Sacar la hoja de laurel de la salsa. Servir la pasta en un tazón grande, bañar con la salsa y espolvorear con el queso parmesano. **Rinde 4 porciones**

LASAÑA RÁPIDA

Ingredientes

1 paquete de 90g de mezcla de salsa blanca

12 láminas de lasaña instantánea

90g de queso cheddar añejo, rallado

Salsa de carne picosa

2 cucharadas de aceite vegetal

1 cebolla, finamente picada

1 diente de ajo, machacado

500g de carne de res magra

1 frasco de 500g de salsa para pasta

Preparación

1 Precalentar el horno a 180°C. Para preparar la salsa de carne, calentar el aceite en una sartén a fuego medio; agregar la cebolla y el ajo, y saltear durante 2 minutos, o hasta que se suavice la cebolla. Añadir la carne molida y cocinar, sin dejar de revolver, durante 5 minutos, o hasta que se dore la carne. Incorporar la salsa para pasta y cocinar a fuego lento durante 2 minutos más. Reservar.

2 Colocar 4 láminas de lasaña en la base de un refractario ligeramente engrasado. Cubrir con un tercio de la salsa de carne, un tercio de la salsa blanca y 4 láminas de lasaña. Repetir el procedimiento dos veces, terminando con una capa de salsa blanca.

3 Espolvorear con queso y hornear durante 20-25 minutos, o hasta que se dore y burbujee. **Rinde 4 porciones**

ESPAGUETI A LA BOLOÑESA

ALBÓNDIGAS ITALIANAS EN SALSA DE JITOMATE

1 rebanada gruesa de pan blanco, sin corteza, en trozos

2 cucharadas de leche entera

450g de carne magra de res molida

2 dientes de ajo, machacados

80g de queso parmesano, rallado

1 huevo mediano, batido

½ taza de albahaca fresca, picada

sal y pimienta negra

2 cucharadas de aceite de oliva

Salsa

400g de tomates enlatados con hierbas, picados

¾ taza de vino tinto, vino blanco seco o caldo de res

1¼ tazas de agua

2 cucharadas de puré de tomate deshidratado

1 cucharadita de azúcar

sal y pimienta negra

50g de aceitunas negras, sin hueso

1   Colocar el pan en un tazón grande, verter la leche y dejar remojar durante 5 minutos. Agregar la carne de res molida, el ajo, el queso parmesano, el huevo, la albahaca y sazonar; revolver bien con las manos. Hacer 20-24 bolitas con la mezcla. Refrigerar durante 30 minutos.

2   Calentar el aceite en una cacerola. Freír las albóndigas en dos tandas durante 5 minutos, hasta que se doren por todos lados. Sacar y escurrir en toallas de papel absorbente.

3   Para preparar la salsa, escurrir el aceite y desechar. Agregar los tomates, el vino o el caldo, el agua, el puré de tomate, el azúcar y sazonar. Dejar que suelte el hervor y cocinar a fuego lento durante 20 minutos; después añadir las albóndigas y seguir cocinando a fuego lento durante 10 minutos más, revolviendo de vez en cuando. Sazonar al gusto, agregar las aceitunas y calentar bien durante 1 minuto. Espolvorear con queso parmesano
y albahaca justo antes de servir. **Rinde 4 porciones**

RES CON ALCACHOFAS, ACEITUNAS Y ORÉGANO

1 cucharada de aceite de oliva

750g de filete scotch

1 diente de ajo, machacado

1 manojo de cebollas de cambray, sin puntas y en mitades

½ taza de vino blanco

1 taza de caldo de res

1 cucharada de puré de tomate

2 ramas de orégano, sin hojas y picadas

sal y pimienta recién molida

2 alcachofas globo, sin puntas y en cuartos

⅓ taza de aceitunas sin hueso

1   Precalentar el horno a 180°C. En un refractario grande, calentar 1 cucharada de aceite de oliva, agregar la carne y dorar rápidamente a fuego muy alto por todos lados. Sacar y reservar.

2   Calentar el resto del aceite de oliva, añadir el ajo y las cebollas, y saltear durante 2-3 minutos. Incorporar el vino, cocinar durante 1 minuto; agregar el caldo de res, el puré de tomate, el orégano, la sal y la pimienta. Dejar que suelte el hervor, regresar la carne al refractario y añadir las alcachofas. Tapar y hornear durante 30-40 minutos.

3   Agregar las aceitunas en los últimos 5 minutos de cocción. Rebanar la carne, acomodar en un plato y bañar con la salsa. Servir inmediatamente. **Rinde 4 porciones**

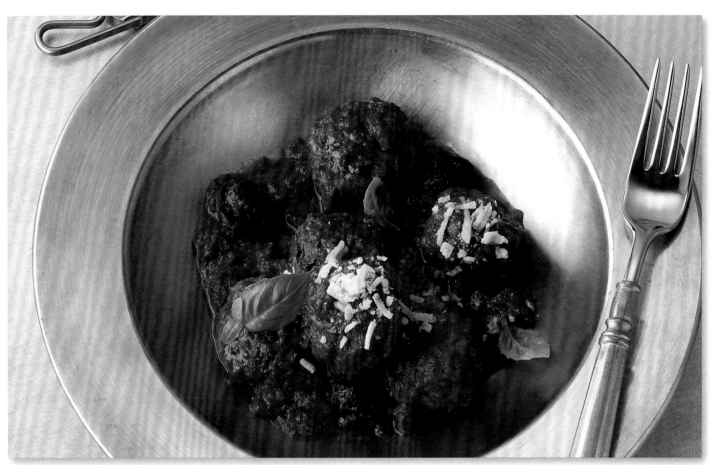

RES ESTOFADO EN RIOJA

700g de res para estofado

3 cucharadas de aceite de oliva

6 chalotes (parecido al ajo, pero con dientes más grandes)

2 dientes de ajo, machacados

2 tallos de apio, finamente rebanados

300g de champiñones, finamente rebanados

½ cucharadita de pimienta de Jamaica molida

½ botella de Rioja, u otro vino tinto con cuerpo

1 taza de puré de tomate

2 ramas de tomillo fresco, sin hojas y sin tallo

sal y pimienta negra

Preparación

1   Precalentar el horno a 180°C. Quitar la grasa a la carne y partir en trozos de 6cm. Calentar en un molde para casserole a prueba de fuego o en una cacerola grande, y freír la carne a fuego alto, revolviendo, durante 5-10 minutos, hasta que se dore. Sacar de la cacerola. Agregar los chalotes, el ajo y el apio, y cocinar, sin dejar de revolver, durante 3-4 minutos, hasta que doren ligeramente.

2   Agregar los champiñones y cocinar durante 1 minuto, o hasta que estén suaves. Incorporar la pimienta de Jamaica, el vino, el puré de tomate y la mitad del tomillo; sazonar con sal y pimienta. Regresar la carne a la cacerola y dejar que hierva a fuego lento.

3   Tapar y cocinar en el horno durante 1½-2 horas, hasta que la carne esté tierna. Volver a sazonar si es necesario, y servir adornada con el resto del tomillo. **Rinde 4 porciones**

TAGLIATELLE Y ALBÓNDIGAS CON SALSA DE JITOMATE PICANTE

Ingredientes

1 taza de pan molido fresco, hecho con pan blanco, sin corteza

500g de carne de res molida

1 tira de tocino, finamente picado

1 cebolla chica, finamente picada

½ taza de perejil fresco, picado

1 huevo mediano, batido

sal de mar y pimienta negra recién molida

2 cucharadas de aceite de girasol

1 frasco de 500g de salsa para pasta picante

500g de tagliatelle o tallarines

Preparación

1   En un recipiente grande, colocar el pan molido y mezclar con la carne molida, el tocino, la cebolla, el perejil, el huevo; sazonar al gusto y revolver muy bien. Con la mezcla, hacer 20 albóndigas y aplanar ligeramente con la palma de la mano. Refrigerar durante 10 minutos.

2   Calentar el aceite en una sartén grande y dorar las albóndigas por todos lados a fuego medio o alto, durante 5 minutos (quizá sea necesario hacerlo en dos tandas). Retirar el exceso de aceite de la sartén y verter la salsa para pasta sobre las albóndigas. Bajar a fuego medio y cocinar durante 10 minutos, mover las albóndigas de vez en cuando, hasta que se cuezan bien.

3   Mientras, poner a hervir agua con sal en una cacerola grande, agregar la pasta y cocinar durante 8 minutos, o hasta que esté suave, pero firme en el centro (al dente). Escurrir, reservar y conservar caliente. Servir las albóndigas con la pasta y adornar con el resto del perejil. **Rinde 4 porciones**

PENNE AL FORNO

¼ taza de aceite

1 cebolla, rebanada

750g de carne de res molida

2 cucharadas de puré de tomate

400g de tomates enlatados

1 taza de agua

2 ramas de orégano, sin hojas
   y picadas

1 cucharadita de azúcar

1 cucharada de salsa inglesa

1 rama de canela

sal y pimienta

300g de penne, cocido

2 huevos enteros

50g de queso romano,
   rallado o parmesano

Salsa bechamel

100g de mantequilla sin sal

2 cucharadas de harina blanca

3 tazas de leche

175g de queso romano, rallado

3 yemas de huevo

sal y pimienta

Preparación

1   Calentar el aceite y saltear la cebolla durante 5 minutos. Agregar la carne molida y cocinar durante
    10 minutos, romper la carne en trozos pequeños con una cuchara de madera.

2   Añadir el puré de tomate, los tomates, el agua, el orégano, el azúcar, la salsa inglesa y la vara de canela;
    dejar que suelte el hervor y cocinar a fuego lento durante 45 minutos, hasta que la mezcla se cueza
    y la salsa espese. De ser necesario, agregar más agua durante la cocción. Sazonar con sal y pimienta.

3   Para preparar la bechamel, derretir la mantequilla en una cacerola; añadir la harina, y cocinar durante
    3 minutos. Incorporar la leche y, sin dejar de revolver, dejar que suelte el hervor y cocinar lento hasta que la
    salsa espese. Agregar el queso y las yemas de huevo a la salsa; revolver bien, y sazonar con sal
    y pimienta.

4   Precalentar el horno a 200°C. En un refractario grande, revolver el penne y la carne; añadir los huevos.
    Bañar la pasta con la salsa, espolvorear con el queso, y hornear durante 30-45 minutos, hasta que cuaje
    y la cubierta esté bien dorada.

5   Partir en rebanadas y servir caliente o fría con ensalada griega. **Rinde 4 porciones**

CARNE DE RES DORADA CON CHAMPIÑONES Y POLENTA DE AJO Y ALBAHACA

Ingredientes

50g de champiñones porcini secos

¼ taza de aceite de oliva

800g de filete de cadera, en 4 rebanadas

1 cebolla española, picada

2 dientes de ajo, machacados

200g de champiñones shiitake o pequeños

¼ taza de vino tinto

1 taza de caldo de res

¼ taza de perejil, picado

sal y pimienta

1 porción de polenta de albahaca y ajo (ver la página 169)

Preparación

1 Remojar los champiñones porcini en agua hirviendo durante 20 minutos. Escurrir, picar y reservar.

2 Calentar el aceite en una cacerola y freír la carne durante unos minutos de cada lado. Sacar de la cacerola. Saltear la cebolla y el ajo durante unos minutos; agregar todos los champiñones y cocinar a fuego alto, hasta que se suavicen.

3 Incorporar el vino y el caldo, dejar que suelte el hervor y cocinar a fuego lento durante 10 minutos. Retirar del fuego, añadir el perejil y sazonar.

4 Servir la carne con los champiñones y la polenta, y espolvorear con perejil. **Rinde 4 porciones**

TORTELLINI CON CONFITADO DE CEBOLLA

Ingredientes

1½ tazas de caldo de res

750g de tortellini de res o de ternera

250g de chícharos

¼ taza de perejil fresco, picado

Confitado de cebolla

30g de mantequilla

2 cebollas, finamente rebanadas

2 cucharaditas de azúcar

2 ramas de tomillo fresco, sin hojas y sin tallos

1 taza de vino tinto

2 cucharadas de vinagre de vino tinto

Preparación

1 Para preparar el confitado, derretir la mantequilla en una cacerola a fuego medio; agregar la cebolla y saltear, sin dejar de revolver, durante 3 minutos o hasta que se suavice. Incorporar el azúcar y cocinar durante 2 minutos más. Añadir el tomillo, el vino, el vinagre y hervir a fuego lento, revolviendo con frecuencia, durante 40 minutos, o hasta que se reduzca y espese la mezcla.

2 Colocar el caldo en una cacerola y dejar que hierva hasta que se reduzca a la mitad. Conservar caliente.

3 Poner a hervir agua con sal en una cacerola grande, agregar la pasta y cocinar durante 8 minutos, o hasta que esté suave, pero firme en el centro (al dente). Escurrir, reservar y conservar caliente.

4 Agregar la pasta, el confitado, los chícharos y el perejil al caldo; dejar que hierva a fuego lento durante 2-3 minutos, o hasta que se cuezan los chícharos. Servir con una mezcla de vegetales verdes y pan crujiente. **Rinde 4 porciones**

ALBÓNDIGAS CON QUESO Y ESPAGUETI

500g de espagueti

Albóndigas con queso

500g de carne magra de res molida

¼ taza de perejil fresco, finamente picado

40g de queso parmesano, rallado

2 cucharaditas de puré de tomate

1 huevo, batido

Salsa de tomate

20g de mantequilla

1 cebolla, finamente picada

¼ taza de albahaca, picada

1 rama de orégano, sin hojas y picada

400g de tomates enlatados, sin escurrir y machacados

2 cucharadas de puré de tomate

½ taza de caldo de res

½ taza de vino blanco

1 cucharadita de azúcar refinada

pimienta negra recién molida

1 Para preparar las albóndigas, colocar la carne, el perejil, el queso parmesano, el puré de tomate y el huevo en un tazón; revolver bien. Con la mezcla, hacer bolitas y cocinar en una sartén de teflón ligeramente engrasada durante 4-5 minutos, o hasta que se doren. Sacar las albóndigas de la sartén y escurrir en toallas de papel absorbente.

2 Para preparar la salsa, derretir la mantequilla en una cacerola y saltear la cebolla, la albahaca y el orégano durante 2-3 minutos, o hasta que se suavice la cebolla. Agregar los tomates, el puré de tomate, el caldo de res, el vino y el azúcar. Dejar que suelte el hervor, bajar la flama y dejar que hierva a fuego lento, revolviendo de vez en cuando, durante 30 minutos, o hasta que la salsa se reduzca y espese. Sazonar al gusto con pimienta negra. Agregar las albóndigas a la salsa y cocinar durante 5 minutos más.

3 Poner a hervir agua con sal en una cacerola grande, agregar la pasta y cocinar durante 8 minutos, o hasta que esté suave, pero firme en el centro (al dente). Escurrir y poner en tazones tibios, cubrir con las albóndigas y la salsa. Servir inmediatamente. **Rinde 4 porciones**

CORDERO A LA PARRILLA CON PESTO DE MENTA Y PAPAS A LA CREMA

Ingredientes

500g de papas, finamente rebanadas

sal y pimienta recién molida

1 diente de ajo, machacado

1 cucharadita de nuez moscada

1 cucharada de harina blanca

75g de queso parmesano, rallado

1 taza de crema

4 chuletas de cordero, de 450g

Pesto de menta

1 taza de hojas de menta

½ taza de hojas de perejil

2 dientes de ajo

½ taza de piñones, tostados

40g de queso parmesano, rallado

40g de queso pecorino o de cabra, rallado

⅓ taza de aceite de oliva

sal y pimienta negra recién molida

Preparación

1 Precalentar el horno a 180°C. Engrasar ligeramente un refractario con mantequilla y acomodar las rebanadas de papa en capas. Sazonar cada capa con sal, pimienta, ajo y nuez moscada.

2 Revolver la harina y dos tercios del queso parmesano con la crema, y verter sobre las papas. Espolvorear con el resto del queso parmesano y hornear durante 40-45 minutos, o hasta que se cuezan las papas.

3 Para preparar el pesto, colocar en el procesador de alimentos la menta, el perejil, el ajo, los piñones y el queso, y procesar hasta que estén finamente picados. Agregar el aceite de oliva en hilillo con el motor andando. Sazonar con sal y pimienta, y reservar.

4 Precalentar una parrilla para asar ligeramente engrasada o un molde. Sazonar el cordero con sal y pimienta. Asar la carne por los dos lados durante aproximadamente 5-10 minutos, o hasta que esté al gusto.

5 Servir la carne, rebanada en diagonal, sobre una cama de papas a la crema con pesto de menta.
Rinde 4 porciones

CORDERO MEDITERRÁNEO

Ingredientes

1 pierna de cordero, de 1kg

2 dientes de ajo, fileteados

2 ramas de romero fresco, en trozos

⅓ taza de aceite de oliva

sal y pimienta negra

1 pimiento grande, en trozos

2 calabacitas italianas grandes, en trozos

500g de papas de cambray, con cáscara

225g de tomates cherry

Preparación

1 Precalentar el horno a 190°C. Hacer varias incisiones en la carne con un cuchillo filoso y meter ⅔ de las hojuelas de ajo y el romero. Bañar con 1 cucharada de aceite y sazonar.

2 Mientras, colocar el pimiento, las calabacitas italianas y las papas en una asadera grande y sazonar. Espolvorear con el resto del ajo, del romero y el aceite; reservar.

3 Poner el cordero en otra asadera, y hornear cerca de la rejilla superior del horno durante 40 minutos.

4 Colocar las verduras marinadas en el horno, debajo de la carne, y voltear el cordero. Hornear durante 25 minutos, agregar los tomates a las verduras. Hornear durante 10 minutos más, o hasta que se cueza el cordero. Sacar la carne del horno, tapar con papel aluminio y dejar reposar durante 10 minutos. Seguir cociendo las verduras, voltear una vez, mientras reposa el cordero. Servir con las verduras. **Rinde 4 porciones**

CORDERO A LA PARRILLA CON PESTO DE MENTA
Y PAPAS A LA CREMA

LOMO DE CORDERO CON ROMERO, AJO Y TOMATES DESHIDRATADOS

2 lomos de cordero, de 400g cada uno

2 cucharadas de aceite de oliva

1 diente de ajo, machacado

150g de tomates semideshidratados, rebanados

4 ramas de romero

sal y pimienta recién molida

Gravy de romero

1 taza de caldo de carne

2 cucharaditas de vinagre balsámico

2 cucharaditas de azúcar

1 rama de romero, sin hojas y picada

1   Precalentar el horno a 180°C. Colocar el cordero, con la piel hacia abajo, en una tabla, barnizar con el aceite por dentro y espolvorear con ajo.

2   Poner la mitad de los tomates deshidratados y 2 trozos de romero dentro de cada lomo, y sazonar con sal y pimienta.

3   Amarrar el cordero con un hilo, colocar en el rosticero y asar durante 30 minutos, o hasta que se cueza al gusto. Dejar reposar durante 10 minutos, tapado.

4   En una cacerola chica, colocar el caldo, el vinagre, el azúcar y el romero. Dejar que suelte el hervor y cocinar a fuego lento durante 5 minutos, hasta que se reduzca ligeramente.

5   Servir el cordero rebanado, bañado con el gravy de romero. **Rinde 4 porciones**

PIERNAS DE CORDERO CON TUBÉRCULOS

2 cucharadas de aceite de oliva

2 chirivías (raíz de mucho sabor, parecida a la zanahoria), peladas y en trozos grandes

1 camote mediano, pelado y en trozos grandes

1 colinabo (hortaliza fresca y ligeramente dulce, mezcla de la col y el nabo), pelado y en trozos grandes

1 manojo de cebollas de cambray, cortadas

2 dientes de ajo, machacados

4 piernas de cordero

¾ taza de caldo de res

¼ taza de agua

½ taza de vino tinto

1 cucharada de puré de tomate

2 ramas de romero, sin hojas y picadas

1 ramito de hierbas de olor

sal y pimienta recién molida

1   Calentar 1 cucharada de aceite en una cacerola grande, agregar los tubérculos y las cebollas de cambray; saltear rápido hasta que doren. Reservar en un plato. Añadir el resto del aceite a la cacerola y dorar el ajo y las piernas de cordero durante unos minutos.

2   Incorporar el caldo, el agua, el vino, el puré de tomate, el romero, las hierbas de olor, la pimienta y la sal. Dejar que suelte el hervor, bajar la flama y dejar cocinar a fuego lento tapado durante 20 minutos

3   Devolver los vegetales a la cacerola y continuar cocinando durante otros 30 minutos, hasta se cuezan las verduras y la carne.

4   Antes de servir, sacar las hierbas de olor y sazonar al gusto. **Rinde 4 porciones**

CORDERO CON LIMÓN Y AJO

Ingredientes

3 cucharadas de aceite de oliva

800g de carne de cordero magra, sin hueso, en cubos de 2.5cm

1 cebolla morada, finamente picada

3 dientes de ajo, machacados

1 cucharada de páprika

½ taza de perejil fresco, finamente picado

¼ taza de jugo de limón fresco

sal y pimienta

¼ taza de vino blanco seco

Preparación

1 Calentar el aceite en una cacerola grande. Agregar el cordero y freír, revolviendo de vez en cuando, hasta que dore ligeramente. Es recomendable hacerlo por tandas para no amontonar la carne. Con una espumadera, pasar la carne a un plato o a un tazón, y reservar.

2 Añadir la cebolla a la cacerola y freír durante 5 minutos, revolviendo de vez en cuando, hasta que se suavice. Incorporar el ajo y freír durante 2 minutos, y después agregar la páprika. Cuando todo esté bien mezclado, añadir la carne y los jugos que hayan escurrido en el plato o el tazón, junto con el perejil, el jugo de limón, el vino, la sal y la pimienta. Tapar herméticamente y cocinar a fuego muy bajo durante 1 ¼ -1 ½ horas, moviendo la cacerola de vez en cuando, hasta que el cordero esté muy suave. **Rinde 4 porciones**

OSSO BUCCO DE CORDERO

Ingredientes

2 cucharadas de harina blanca

sal y pimienta negra

4 piernas de cordero, sin grasa

2 cucharadas de aceite de oliva

1 cebolla, finamente picada

1 zanahoria, finamente picada

1 tallo de apio, finamente picado

400g de tomates con hierbas enlatados, picados

1 cucharada de puré de tomate deshidratado

½ taza de vino blanco seco

2 tazas de caldo de cordero

Gremolata

¼ taza de perejil fresco, picado

¼ taza de menta fresca, picada

ralladura fina de 1 limón

1 diente de ajo, finamente picado

Preparación

1 Precalentar el horno a 160°C. Revolver la harina con la sal y la pimienta en un plato. Revolcar bien las piernas en la mezcla. Calentar 1 cucharada de aceite en una cacerola grande hasta que esté bien caliente, sin que humee. Agregar el cordero y freír a fuego medio alto durante 5-8 minutos, volteando con frecuencia, hasta que se dore de todos lados. Pasar a un refractario.

2 Calentar el resto del aceite en la cacerola; añadir la cebolla, la zanahoria y el apio, y freír a fuego lento durante 4-5 minutos, hasta que se suavicen. Agregar los tomates, el puré de tomate, el vino y el caldo; dejar que suelte el hervor, revolviendo de vez en cuando. Verter sobre el cordero, tapar con papel aluminio y hornear durante 1-2 horas, hasta que la carne esté suave, volteando durante el proceso. Sazonar al gusto.

3 Para preparar la gremolata, revolver el perejil con la menta, la ralladura de limón y el ajo. Espolvorear a la carne y servir. **Rinde 4 porciones**

PIERNAS DE CORDERO CON HABAS, ACEITUNAS Y RISONI

2 cucharadas de aceite de oliva

2 dientes de ajo, machacado

4 piernas de cordero

1 cebolla, picada

2 tazas de caldo de res

4 ramas enteras de orégano,
   y 2 ramas sin hojas y picadas

2 cucharadas de puré de tomate

2 tazas de agua

1 tazas de risoni o una pasta pequeña
   para sopa

1 taza de habas

½ taza de aceitunas

sal y pimienta recién molida

1 Calentar el aceite en una cacerola grande; agregar el ajo, las piernas de cordero y la cebolla, y freír durante 5 minutos, o hasta que las piernas estén ligeramente doradas.

2 Incorporar el caldo de res, las ramas enteras de orégano, el puré de tomate y la mitad de agua; dejar que suelte el hervor, bajar la flama, tapar y cocinar a fuego lento durante 40 minutos. Sacar las piernas, rebanar la carne y reservar.

3 Añadir el risoni y el resto del agua a la cacerola; cocinar durante 5 minutos más, agregar las habas, las aceitunas, la carne de las piernas, el orégano picado, la sal y la pimienta. Cocinar durante 5 minutos más y servir. **Rinde 4 porciones**

BOLOÑESA CON CHAMPIÑONES

500g de espagueti

Salsa boloñesa

2 cucharadas de aceite

150g de champiñones, rebanados

1 zanahoria, finamente picada

1 cebolla, finamente picada

1 diente de ajo, machacado

½ cucharadita de chile en polvo

350g de carne de res magra

100g de prosciutto, finamente picado (jamón serrano)

nuez moscada molida

¾ taza de vino tinto seco

½ taza de puré de tomate

400g de tomates enlatados, sin escurrir y machacados

½ taza de agua

pimienta negra recién molida

Preparación

1 Para preparar la salsa, calentar el aceite en una sartén grande y saltear los champiñones, la zanahoria y la cebolla durante 4-5 minutos, o hasta que se suavice la cebolla. Agregar el ajo y el chile en polvo, y saltear durante 1 minuto más.

2 Añadir la carne de res y el prosciutto a la cacerola y cocinar a fuego medio, revolviendo para romper la carne, durante 4-5 minutos, o hasta que la carne cambie de color. Escurrir el exceso de grasa y sazonar al gusto con nuez moscada.

3 Incorporar el vino, el puré de tomate, los tomates y el agua a la cacerola. Dejar que suelte el hervor, bajar la flama y hervir a fuego lento durante 30 minutos, revolviendo de vez en cuando, o hasta que se reduzca y espese la salsa. Sazonar al gusto con pimienta negra.

4 Poner a hervir agua con sal en una cacerola grande, agregar la pasta y cocinar durante 8 minutos, o hasta que esté suave, pero firme en el centro (al dente). Escurrir y servir en tazones tibios, cubrir con la salsa y servir inmediatamente. Adornar con rúcula fresca. **Rinde 4 porciones**

PENNE, PROSCIUTTO Y ALBAHACA

Ingredientes

500g de penne

1 cucharada de aceite de oliva

2 dientes de ajo, machacados

6 rebanadas de prosciutto (jamón serrano), picado

¼ taza de albahaca fresca, picada

60g de nueces, picadas

pimienta negra recién molida

40g de queso parmesano, rallado

Preparación

1 Poner a hervir agua con sal en una cacerola grande, agregar la pasta y cocinar durante 8 minutos, o hasta que esté suave, pero firme en el centro (al dente). Escurrir, reservar y conservar caliente.

2 Calentar el aceite en una sartén grande y saltear el ajo a fuego medio durante 1 minuto. Añadir el prosciutto y cocinar durante 2-3 minutos más, o hasta que esté crujiente. Agregar la albahaca, las nueces y la pasta a la sartén; sazonar al gusto con pimienta negra y revolver bien. Espolvorear con queso parmesano y servir inmediatamente. Adornar con hojas de albahaca. **Rinde 4 porciones**

ROLLOS DE PASTA DE TOMATE

Ingredientes

2 tazas de harina blanca

2 huevos

2 cucharadas de agua

2 cucharadas de puré de tomate

3 cucharadas de aceite de oliva

40g de queso de cabra

Relleno de espinaca

500g de espinacas congeladas, descongeladas y bien escurridas

375g de queso ricotta

2 huevos

90g de queso parmesano, rallado

1 cucharadita de nuez moscada

pimienta negra recién molida

12 rebanadas de prosciutto

500g de queso mozzarella rebanado

Salsa verde

1½ tazas de perejil, en trozos grandes

½ taza de menta, en trozos grandes

½ taza de albahaca, en trozos grandes

4 filetes de anchoa

1 diente de ajo

2 cucharadas de alcaparras

½ taza de aceite de oliva

Preparación

1   En el procesador de alimentos, colocar la harina, los huevos, el agua, el puré de tomate y una cucharada de aceite, y procesar hasta integrar. Vaciar la masa en una superficie ligeramente enharinada y amasar con el rodillo durante 5 minutos, o hasta que esté suave y elástica. Envolver la masa en plástico adherente y reservar durante 15 minutos.

2   Para preparar el relleno, colocar las espinacas, el queso ricotta, los huevos, el queso parmesano, la nuez moscada y la pimienta en un tazón; revolver bien.

3   Dividir la masa a la mitad y extender una mitad para formar un rectángulo de 30 x 45cm. Untar la mitad del relleno, dejando un borde de 2.5cm; después, cubrir con la mitad del prosciutto y la mitad del queso mozzarella. Doblar los bordes a los lados y enrollar por el lado más corto. Envolver el rollo en un trapo limpio y amarrar los extremos con un hilo. Repetir el proceso con el resto de los ingredientes para hacer un segundo rollo.

4   Llenar con agua un refractario a la mitad y poner en la estufa. Dejar que suelte el hervor, agregar los rollos, bajar la flama, tapar y dejar cocer a fuego lento durante 30 minutos. Voltear los rollos una o dos veces durante la cocción. Sacar los rollos del agua y dejar que se enfríen durante 5 minutos. Quitar el trapo y refrigerar hasta que estén firmes.

5   Para preparar la salsa verde, colocar todos los ingredientes, excepto el aceite, en el procesador de alimentos y licuar; después, agregar el aceite poco a poco.

6   Para servir, partir los rollos en rebanadas; calentar una sartén y agregar el resto del aceite, colocar las rebanadas de los rollos en la sartén y freír hasta que se doren ligeramente de cada lado; sacar y escurrir. Colocar en un platón y cubrir con el queso de cabra y la salsa verde. **Rinde 4 porciones**

MACARRONES CON PROSCIUTTO

500g de macarrones

50g de mantequilla

2 dientes de ajo, machacados

125g de prosciutto (jamón serrano), en tiras

6 tomates deshidratados, escurridos y cortados en tiras

½ taza de albahaca fresca, trozada

pimienta negra recién molida

Preparación

1   Poner a hervir agua con sal en una cacerola grande, agregar la pasta y cocinar durante 8 minutos, o hasta que esté suave, pero firme en el centro (al dente). Escurrir, reservar y conservar caliente.

2   Derretir la mantequilla en una cacerola grande y saltear el ajo con el prosciutto a fuego medio durante 5 minutos. Agregar los tomates y la albahaca, y saltear durante 2 minutos más.

3   Añadir los macarrones a la cacerola, sazonar al gusto con pimienta negra, y revolver bien. Servir inmediatamente. **Rinde 4 porciones**

TAGLIATELLE CON ESPÁRRAGOS Y PROSCIUTTO

Ingredientes

500g de espárragos

60g de mantequilla sin sal

2 cucharadas de aceite de oliva

1 cebolla de cambray, solo el bulbo, rebanado

60g de prosciutto (jamón serrano), en tiras delgadas

½ taza de crema

sal y pimienta negra recién molida

500g de tagliatelle fresco o tallarines

40g de queso parmesano

Preparación

1   Cortar los espárragos en trozos de 1cm, dejando las puntas intactas. Calentar la mantequilla y el aceite en una sartén grande; agregar la cebolla de cambray y saltear durante 2 minutos para que se suavice, e incorporar el prosciutto. Verter la crema y dejar que suelte el hervor, y sazonar al gusto.

2   Poner a hervir agua con sal en una cacerola grande, agregar la pasta y cocinar durante 8 minutos, o hasta que esté suave, pero firme en el centro (al dente). Escurrir y reservar un poco del agua de la cocción. Pasar un tercio de la pasta a un tazón tibio y revolver con un poco de la salsa. Repetir el proceso hasta que la salsa y la pasta estén integradas. Si la pasta se ve un poco seca, agregar 1 o 2 cucharadas del líquido de cocción que se reservó. Servir con queso parmesano. **Rinde 4 porciones**

ESPAGUETI CON PEPPERONI

500g de espagueti
1 cucharada de aceite de oliva
1 cebolla, finamente picada
90g de aceitunas negras, picadas
125g de pepperoni, picado

1 Poner a hervir agua con sal en una cacerola grande, agregar la pasta y cocinar durante 8 minutos, o hasta que esté suave, pero firme en el centro (al dente). Escurrir, reservar y conservar caliente.

2 Calentar el aceite en una sartén grande y saltear la cebolla a fuego medio durante 5-6 minutos, o hasta que esté transparente. Añadir las aceitunas y el salami, y saltear durante 2 minutos más.

3 Agregar el espagueti a la sartén y revolver bien. Servir inmediatamente. **Rinde 4 porciones**

PASTA CON VERDURAS ASADAS Y PROSCIUTTO

1 pimiento rojo, en cuartos
1 pimiento amarillo, en cuartos
1 pimiento verde, en cuartos
6 berenjenas baby, finamente rebanadas a lo largo

2 cucharadas de aceite de oliva
250g de tomates cherry
8 rebanadas de prosciutto (jamón serrano)
1 cebolla morada, rebanada

2 dientes de ajo, machacados
¼ taza de albahaca, trozada
pimienta negra recién molida
500g de tagliatelle o tallarines de espinacas fresco

1 Colocar los pimientos rojos, amarillos y verdes con la piel hacia arriba en la parrilla precalentada, y cocinar durante 5-10 minutos, hasta que la piel esté con ampollas y ennegrecida. Poner los pimientos en una bolsa de plástico y reservar hasta que se enfríen lo suficiente para manejarse. Sacar los pimientos, limpiar y cortar en rebanadas gruesas.

2 Barnizar ligeramente la superficie de las berenjenas con un poco de aceite, y asar en la parrilla precalentada durante 2-3 minutos de cada lado, o hasta que se doren.

3 Poner los tomates en la parrilla precalentada y asar durante 2 minutos, o hasta que se suavicen.

4 Freír el prociutto en la parrilla precalentada durante 1 minuto de cada lado, o hasta que esté crujiente. Escurrir en toallas de papel absorbente y reservar.

5 Calentar el resto del aceite en una sartén a fuego medio, agregar la cebolla y el ajo; saltear, sin dejar de revolver, durante 4 minutos, o hasta que la cebolla esté suave y dorada. Añadir los pimientos, la berenjena, los tomates, la albahaca, la sal y la pimienta; cocinar, sin dejar de revolver, durante 4 minutos.

6 Poner a hervir agua con sal en una cacerola grande, agregar la pasta y cocinar durante 8 minutos, o hasta que esté suave, pero firme en el centro (al dente). Escurrir bien y cubrir con la mezcla de verduras y prosciutto. Servir inmediatamente. **Rinde 4 porciones**

TORTELLINI BOSCAIOLA

Ingredientes

500g de tortellini o ravioles

20g de mantequilla

3 cebollas de cambray, picadas

170g de jamón, finamente rebanado

170g de champiñones, rebanados

½ taza de caldo de pollo

1½ tazas de crema

pimienta negra recién molida

40g de queso parmesano, rallado

Preparación

1 Poner a hervir agua con sal en una cacerola grande, agregar la pasta y cocinar durante 8 minutos, o hasta que esté suave, pero firme en el centro (al dente). Escurrir, reservar y conservar caliente.

2 Derretir la mantequilla en una sartén a fuego medio. Agregar las cebollas de cambray, el jamón, los champiñones; saltear, sin dejar de revolver, durante 4 minutos, o hasta que se suavicen los champiñones.

3 Incorporar el caldo, la crema y la pimienta negra; dejar que hierva a fuego lento durante 6-8 minutos, o hasta que reduzca y espese ligeramente.

4 Para servir, bañar la pasta caliente con la salsa, revolver bien y espolvorear con el queso parmesano.
   Rinde 4 porciones

PENNE CON PANCETA Y TOMATES

Ingredientes

4 cucharadas de aceite de oliva extra virgen

200g de pancetta natural o tocino sin grasa, en trozos grandes

1 cucharadita de chile en polvo

⅓ taza de vino blanco seco

1 cebolla dulce o suave, muy finamente picada

½ cucharadita de sal

400g de tomates enlatados, picados

400g de penne

90g de queso parmesano, finamente rallado

Preparación

1 Calentar 2 cucharadas de aceite en una sartén grande, freír la pancetta o el tocino y el chile en polvo durante 2-3 minutos, hasta que empiece a escurrir la grasa. Incorporar el vino y hervir durante 2-3 minutos, hasta que se reduzca a la mitad.

2 Bajar la flama, agregar la cebolla y la sal y cocinar, tapado, durante 8 minutos, revolviendo de vez en cuando, hasta que se suavice la cebolla. Añadir los tomates y cocinar, tapado, durante 20-25 minutos, hasta que espese. Si la mezcla está un poco seca, agregar 2 cucharadas de agua caliente. Sazonar si se desea.

3 Poner a hervir agua con sal en una cacerola grande, agregar la pasta y cocinar durante 8 minutos, o hasta que esté suave, pero firme en el centro (al dente). Escurrir y pasar a un tazón tibio. Agregar el resto del aceite y la mitad de la salsa. Revolver y añadir 4 cucharadas de queso parmesano. Revolver, vaciar el resto de la salsa y servir con el resto del queso parmesano. **Rinde 4 porciones**

RAVIOLES RELLENOS DE CERDO Y SALVIA

Ingredientes

24 láminas de pasta wonton

1 yema de huevo, batida
con 1 cucharada de agua

40g de queso parmesano, rallado

Relleno de cerdo y salvia

300g de queso ricotta, escurrido

150g de carne de cerdo magra,
cocida y picada

60g de tocino magro,
finamente picado

40g de queso parmesano, rallado

¼ taza de perejil fresco, picado

¼ taza de salvia fresca, picada

nuez moscada

pimienta negra recién molida

Salsa de mantequilla y salvia

125g de mantequilla

¼ taza de salvia, picada

Preparación

1 Para preparar el relleno, colocar el queso ricotta, la carne de cerdo, el tocino, el queso parmesano, el perejil, la salvia, la nuez moscada y la pimienta negra en un tazón, y revolver bien.

2 Colocar 12 láminas wonton en una superficie de trabajo. Colocar 1 cucharadita del relleno en el centro de cada una, barnizar los bordes con la mezcla de yema de huevo y colocar el resto de las láminas wonton encima. Presionar los bordes.

3 Cocer los ravioles, unos cuantos a la vez, en agua hirviendo durante 4 minutos, o hasta que estén suaves. Escurrir y espolvorear con queso parmesano.

4 En una cacerola, fundir la mantequilla y agregar la salvia picada; cocinar durante 2 minutos. Bañar los ravioles y servir. **Rinde 4 porciones**

TORTIGLIONI CON CHÍCHAROS

Ingredientes

60g de mantequilla

1 cebolla, rebanada

1 diente de ajo, machacado

1 pizca de hojuelas de chile

3 tiras de tocino, picado

90g de chícharos, escaldados

¼ taza de perejil fresco, picado

¼ taza de menta fresca, picada

pimienta negra recién molida

500g de tortiglioni

2 huevos, ligeramente batidos

⅓ taza de crema espesada

40g de queso pecorino o de cabra, rallado

Preparación

1 Derretir la mantequilla en una sartén a fuego medio; agregar la cebolla, el ajo y las hojuelas de chile; freír durante 5 minutos, o hasta que se suavice la cebolla. Añadir el tocino y freír durante 5 minutos, incorporar los chícharos, la mitad del perejil, la menta y la pimienta negra. Reservar y conservar caliente.

2 Poner a hervir agua con sal en una cacerola grande, agregar la pasta y cocinar durante 8 minutos, o hasta que esté suave, pero firme en el centro (al dente). Escurrir, añadir a la mezcla de chícharos y revolver bien. Retirar del fuego. Mezclar los huevos, la crema, el queso y el resto del perejil y vaciar en la pasta. Servir en cuanto el huevo comience a cuajar, lo que sólo tomará unos cuantos segundos. La salsa debe estar ligeramente aguada. **Rinde 4 porciones**

CORTECCE CON ALCACHOFAS

Ingredientes

500g de cortecce o penne

2 cucharaditas de aceite de oliva

300g de jamón, en tiras

6 corazones de alcachofa enlatados, rebanados a lo largo

3 huevos, batidos con 40g de queso parmesano rallado

pimienta negra recién molida

1 manojo chico de cebollín, picado

Preparación

1 Poner a hervir agua con sal en una cacerola grande, agregar la pasta y cocinar durante 8 minutos, o hasta que esté suave, pero firme en el centro (al dente). Escurrir, reservar y conservar caliente.

2 Calentar el aceite en una sartén a fuego medio; agregar el jamón y las alcachofas, y cocinar durante 1-2 minutos.

3 Agregar la pasta y revolver bien. Retirar del fuego, incorporar rápido la mezcla de huevo, sazonar al gusto con pimienta negra, y agregar el cebollín. Servir en cuanto el huevo empiece a pegarse a la pasta, lo cual tardará sólo unos cuantos segundos. **Rinde 4 porciones**

CACEROLA DE SALCHICHA TOSCANA

2 cucharadas de aceite de oliva

500g de salchichas de cerdo

1 cebolla morada, rebanada

2 tallos de apio, rebanados

1 zanahoria grande, picada

1 diente de ajo, finamente rebanado

4 jitomates Saladet

½ taza de vino blanco seco o caldo

sal y pimienta negra

400g de alubias blancas enlatadas, escurridas

200g de polenta instantánea

30g de mantequilla

½ taza de perejil de hoja lisa fresco, picado

Preparación

1   Calentar 1 cucharada de aceite en una sartén y freír las salchichas durante 5 minutos, o hasta que se doren, volteando de vez en cuando. Sacar de la sartén. Agregar el resto del aceite y freír la cebolla, el apio, la zanahoria y el ajo durante 3-4 minutos, hasta que adquieran un color tenue.

2   Colocar los jitomates en un tazón y cubrir con agua hirviendo. Dejar durante 30 segundos, pelar y cortar en cuartos. Devolver las salchichas a la sartén junto con el vino blanco o el caldo y los jitomates; sazonar. Cocinar a fuego lento durante 20 minutos; agregar las alubias y cocinar a fuego lento otros 10 minutos.

3   Mientras, poner a hervir 4 tazas de agua con 1 cucharadita de sal. Añadir la polenta y revolver durante 5 minutos, o hasta que espese y esté homogénea; después, agregar la mantequilla. Servir con el guisado de salchicha, espolvoreado con perejil. **Rinde 4 porciones**

ESPAGUETI CON SALSA DE SALAMI

Ingredientes

2 cucharaditas de aceite de oliva

1 cebolla, finamente rebanada

1 pimiento rojo, cortado en tiras

2 calabacitas italianas chicas, rebanadas

1 berenjena, en cubos de 2.5cm

400g de tomates enlatados, sin escurrir y machacados

pimienta negra recién molida

125g de salami, en cubos chicos

500g de espagueti integral

10 aceitunas negras chicas

40g de queso parmesano, rallado

Preparación

1 Calentar el aceite de oliva en una sartén a fuego medio; agregar la cebolla, el pimiento, las calabacitas italianas, y saltear durante 4-5 minutos, o hasta que se suavice la cebolla. Retirar de la sartén y reservar. Añadir un poco más de aceite de oliva a la sartén y agregar la berenjena, saltear hasta que se dore. Eliminar el exceso de grasa de la sartén y devolver la mezcla de cebolla.

2 Añadir los tomates y la pimienta negra; cocinar a fuego lento, revolviendo de vez en cuando, durante 10 minutos. Incorporar el salami y revolver bien.

3 Poner a hervir agua con sal en una cacerola grande, agregar la pasta y cocinar durante 8 minutos, o hasta que esté suave, pero firme en el centro (al dente). Escurrir y colocar en un platón caliente; bañar con la salsa, espolvorear las aceitunas y el queso parmesano. **Rinde 4 porciones**

CERDO FLORENTINO CON GARBANZOS

Ingredientes

2 cucharadas de aceite de oliva

1 cebolla, finamente picada

1 diente de ajo, finamente picado

1 chile rojo chico, sin semillas y finamente rebanado

500g de bisteces de lomo de cerdo, en tiras largas

1/3 taza de vino blanco seco

1 cucharadita de semillas de hinojo

400g de garbanzos enlatados, escurridos

225g de espinaca baby

1/4 taza de queso mascarpone o doble crema

sal y pimienta negra

Preparación

1 Calentar el aceite en una sartén grande o wok. Saltear la cebolla durante 3-4 minutos, hasta que se suavice; añadir el ajo y el chile, y saltear durante 1 minuto más.

2 Añadir la carne de cerdo y cocinar, sin dejar de revolver, a fuego medio alto durante 5 minutos, o hasta que se dore y esté bien cocida. Incorporar el vino y las semillas de hinojo; cocinar a fuego lento durante 3-4 minutos, sin dejar de revolver.

3 Agregar los garbanzos, las espinacas y revolver a fuego alto durante 3-4 minutos, hasta que las espinacas se marchiten y se haya evaporado el líquido. Añadir el queso mascarpone o doble crema, y sazonar. **Rinde 4 porciones**

ESCALOPAS DE CERDO CON NARANJA Y ORÉGANO

4 bisteces de cerdo

125g de pan molido blanco fresco

60g de queso parmesano, finamente rallado

1 rama de orégano, sin hojas y picada

sal y pimienta negra

1 huevo grande, batido

aceite para freír

Salsa

1 naranja grande

1 cebolla de cambray, finamente picada

sal y pimienta negra

Preparación

1 Colocar los bisteces de cerdo entre dos hojas de plástico adherente y aplanar con un rodillo, dejando todos del mismo grosor. Bañar cada bistec en el huevo batido y revolcar bien en la mezcla de pan molido.

2 Para preparar la salsa, pelar un poco de ralladura de la naranja y reservar. Rebanar los extremos de la naranja, pelar y quitar el tejido blanco, siguiendo la curvatura de la fruta. Cortar entre las membranas para liberar los gajos, recogiendo los jugos en un tazón. Picar la pulpa de la naranja, revolver con la cebolla de cambray y reservar el jugo; sazonar.

3 Colocar un 1cm de aceite en una sartén grande. Freír la carne durante 3-4 minutos de cada lado, hasta que se cueza y se dore. Escurrir en toallas de papel absorbente y conservar calientes los bisteces mientras se cocinan los otros 2. Servir con la salsa y adornar con tiras de cáscara de naranja y orégano. **Rinde 4 porciones**

FETTUCCINE CON TERNERA A LA CREMA

Ingredientes

500g de fettuccine

1 cucharada de aceite de oliva

500g de bisteces de ternera delgados, en tiras

1 diente de ajo, machacado

¼ taza de perejil fresco, picado

2 cucharaditas de páprika

1½ cucharaditas de brandy

2 cucharadas de puré de tomate

1¼ tazas de crema agria espesa

pimienta negra recién molida

Preparación

1 Poner a hervir agua con sal en una cacerola grande, agregar la pasta y cocinar durante 8 minutos, o hasta que esté suave, pero firme en el centro (al dente). Escurrir, reservar y conservar caliente.

2 Calentar el aceite en una sartén a fuego alto, agregar la carne y freír durante 3-4 minutos, o hasta que se dore. Añadir el ajo, el perejil y la páprika; freír durante 1 minuto más, incorporar el brandy y cocinar hasta que se evapore. Agrega el puré de tomate, la crema agria y la pimienta negra; dejar que suelte el hervor y cocinar a fuego lento hasta que la salsa se reduzca y espese. Añadir el fettuccine y revolver bien. **Rinde 4 porciones**

GUISADO DE CONEJO, ACEITUNAS Y CEBOLLA

Ingredientes

750g de conejo

1½ tazas de vino blanco seco

3 ramas de orégano fresco

3 hojas de laurel

⅓ taza de aceite de oliva

200g de cebollas de cambray en mitades

6 dientes de ajo, con cáscara

1 cucharada de páprika

¾ taza de caldo de pollo

½ taza de aceitunas negras

sal y pimienta recién molida

Preparación

1   En un tazón grande, revolver la carne de conejo, el vino, el orégano y las hojas de laurel. Tapar y refrigerar toda la noche.

2   Escurrir el conejo y reservar la marinada. Precalentar el horno a 180°C.

3   Calentar el aceite en una sartén grande y dorar el conejo, unas cuantas piezas a la vez, por ambos lados. Sacar la carne y colocar en una fuente de horno.

4   Saltear las cebollas y el ajo en la sartén, agregar la páprika. Revolver constantemente durante 2 minutos, incorporar el caldo y la marinada que se reservó. Dejar que suelte el hervor.

5   Bañar la carne con la mezcla de caldo y cebolla; agregar las aceitunas y sazonar con sal y pimienta.

6   Tapar y hornear durante 1¼ horas, o hasta que el conejo se cueza y esté suave. Adornar con orégano y servir con pan crujiente. **Rinde 4 porciones**

cocina selecta

postres

HELADO DE TIRAMISÚ

25g de azúcar refinada

3 cucharadas de café espresso caliente u otro café negro muy fuerte

425g de natilla lista para servir

250g de queso mascarpone, ricotta o queso crema

100g de galletas amaretti de cocoa, machacadas

3 cucharadas de vino Marsala

50g chocolate de leche

Preparación

1 Mezclar el azúcar con el café y revolver hasta que se disuelva el azúcar. Batir con un tenedor la natilla con el mascarpone hasta formar una mezcla homogénea; incorporar la mezcla de café, y revolver bien.

2 Vaciar en un recipiente para el congelador y congelar durante 1 hora, o hasta que empiecen a formarse cristales de hielo. Batir la mezcla con un tenedor hasta que esté homogénea, y volver a congelar durante 30 minutos.

3 Revolver las galletas con el Marsala e incorporar rápido al helado medio congelado, revolviendo bien. Devolver al congelador durante 1 hora, o hasta que esté firme. Servir el helado adornado con virutas de chocolate hechas con un pelador de verdura. **Rinde 4 porciones**

GALLETAS DE ALMENDRA

Ingredientes

500g de almendras, blanqueadas

1 taza de azúcar refinada

2 huevos medianos

20g de pan molido blanco suave

⅓ taza de miel líquida

Preparación

1 Precalentar el horno a 180°C

2 Moler las almendras en el procesador de alimentos con un poco de azúcar. Revolver el resto del azúcar con los huevos, y batir hasta que la mezcla esté pálida y cremosa. Incorporar las almendras molidas y el pan molido y con el huevo; revolver muy bien.

3 Con una cuchara, formar figuras de rombo con la mezcla y colocarlas en una charola para hornear de teflón. Hornear durante 15 minutos.

4 Aún calientes, colocar en una rejilla metálica y barnizar con miel tibia. Dejar enfriar un poco antes de servir. **Rinde 40 porciones aproximadamente**

HELADO DE TIRAMISÚ

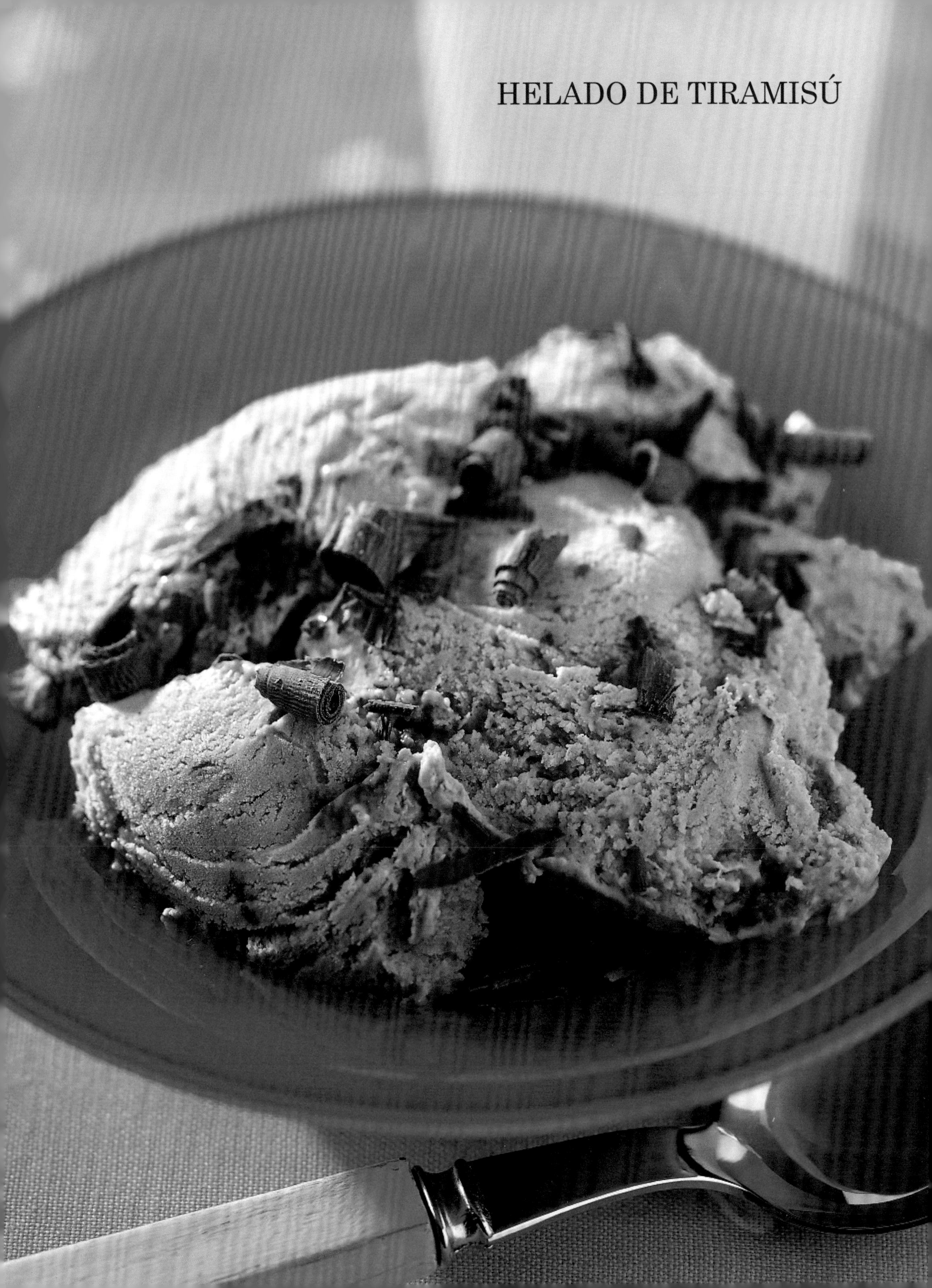

PASTEL DE CHOCOLATE CON FRANGELICO Y SALSA DE FRAMBUESA

Ingredientes

200g de chocolate oscuro, picado

100g de mantequilla

5 huevos, separada la yema y la clara

½ taza de azúcar refinada

⅓ taza de harina con polvo
   para hornear, cernida

½ taza de avellanas, molidas

2½ cucharadas de licor Frangelico

Salsa

250g de frambuesas

2 cucharadas de azúcar glas

1 cucharada de jugo de limón

Preparación

1 Precalentar el horno a 190°C.

2 Colocar el chocolate en un tazón de metal y ponerlo dentro de una olla con agua hirviendo, con cuidado de que no caigan gotas de agua en el chocolate. Fundir el chocolate, con cuidado de que no hierva. Cuando se funda, retirar del calor e incorporar las yemas de huevo, el azúcar, la harina, las avellanas y el licor.

3 Batir las claras de huevo a punto de nieve e incorporar despacio a la mezcla del chocolate. Verter en un molde para pastel redondo de 20cm engrasado y forrado con papel encerado; hornear durante 40-45 minutos, o hasta que el pastel se reduzca ligeramente de los costados del molde.

4 Para preparar la salsa, colocar las frambuesas, el azúcar glas y el jugo de limón en el procesador de alimentos y licuar hasta que la mezcla esté homogénea. Colar y agregar un poco de agua si la mezcla está muy espesa.

5 Servir el pastel en rebanadas con salsa de frambuesa y crema. **Rinde 8 porciones**

COMPOTA DE FRUTAS DE VERANO CON YOGUR DE VAINILLA

Ingredientes

700g de frutas de verano mixtas

⅓ taza de Oporto

50g de azúcar refinada

jugo de 1 naranja

1 cucharadita de especias mixtas
   molidas

Yogur de vainilla

1 rama de vainilla

1 taza de yogur griego

1 cucharada de miel

Preparación

1 Para preparar el yogur de vainilla, raspar las semillas de la rama sobre el yogur e incorporar la miel. Tapar y refrigerar mientras está lista la compota.

2 Colocar las frutas en una cacerola junto con el Oporto, el azúcar, la ralladura de naranja, el jugo y las especias mixtas. Calentar durante 5-8 minutos, hasta que las frutas estén suaves. Retirar del fuego y reservar durante 15 minutos, para que se enfríen ligeramente. Servir la compota tibia con una cucharada de yogur de vainilla. **Rinde 4 porciones**

PAY DE QUESO DE LIMÓN Y RICOTTA

Ingredientes

50g de mantequilla

100g de galletas integrales, machacadas

40g de almendras molidas

3 limones

250g de ricotta

½ taza de yogurt griego

3 huevos

1 cucharada de maicena

75g de azúcar refinada

1 cucharada de miel

Preparación

1   Precalentar el horno a 180°C. Derretir la mantequilla en una cacerola, e incorporar las galletas y las almendras. Presionar la mezcla en la base de un molde para pastel de 20cm, ligeramente engrasado. Hornear durante 10 minutos.

2   Mientras, rallar finamente la cáscara de 2 limones y exprimir el jugo. Revolver con el queso ricota, el yogur, los huevos, la maicena y el azúcar en el procesador de alimentos hasta que la mezcla esté homogénea, o batir con la batidora de mano. Verter la mezcla sobre la base de galleta y hornear durante 45-50 minutos, hasta que cuaje y dore ligeramente. Dejar enfriar en el molde cuando menos durante 1 hora, después pasar un cuchillo para despegar los bordes y desmoldar en un platón.

3   Rebanar finamente el resto del limón. Colocar en una cacerola, cubrir con agua caliente y hervir a fuego lento durante 5 minutos; después, escurrir. Calentar la miel a fuego lento, sin dejar que hierva. Bañar las rebanadas de limón con la miel y acomodar sobre el pay de queso. **Rinde 4 porciones**

PUDINES DE CHOCOLATE

Ingredientes

200g de chocolate semidulce fino, partido en cuadros

½ taza de leche

2 cucharadas de brandy

1 huevo entero

2 yemas de huevo

1 cucharadita de extracto de vainilla natural

1 taza de crema

2 cucharadas de azúcar refinada

⅓ taza de yogur griego

nuez moscada

Preparación

1   Precalentar el horno a 160°C. En una cacerola chica, colocar el chocolate, la leche y el brandy. Cocinar a fuego lento, revolviendo de vez en cuando, durante 5-6 minutos, hasta que se funda, sin dejar que hierva. Retirar de la estufa.

2   En un tazón, batir el huevo, las yemas, el extracto de vainilla, la crema y el azúcar hasta que estén bien incorporados. Añadir rápido a la mezcla de chocolate, y revolver hasta que quede homogénea.

3   Dividir la mezcla en partes iguales en 4 moldes individuales de 200ml. Colocar dos capas de periódico en una fuente de horno y verter agua suficiente para cubrir la mitad de la altura de los moldes. Hornear durante 35-40 minutos, o hasta que cuajen ligeramente. Retirar y dejar enfriar durante 30 minutos, después refrigerar durante 1 hora. Servir con yogur y nuez moscada molida. **Rinde 4 porciones**

TIRAMISÚ DE LUJO

12 soletas

½ taza de café negro cargado

½ taza de licor de café

1¼ tazas de doble crema

⅔ taza de queso mascarpone, ricotta o queso crema

50g de azúcar refinada

50g de chocolate, rallado, y un poco más para decorar

1 Forrar con plástico adherente la base y los costados de un molde de flauta de 450g. Colocar 4 soletas en el molde. Revolver el café y el licor, y vaciar ⅓ de la mezcla en el molde. Colocar el resto de las soletas en un tazón y bañar con el resto de la mezcla de café.

2 Batir la mitad de la crema a punto de nieve. Agregar el queso mascarpone y el azúcar. Servir la mitad de la mezcla sobre las soletas que están en el molde. Espolvorear con la mitad del chocolate rallado.

3 Cubrir con una capa de las soletas remojadas y agregar el resto de la mezcla de crema y del chocolate rallado. Terminar con otra capa de soletas remojadas y refrigerar durante 2 horas. Desmoldar el tiramisú de forma invertida en un platón y quitar el plástico. Batir el resto de la crema y untar en la parte superior y los costados. Decorar con virutas de chocolate. **Rinde 4 porciones**

HIGOS CON MIEL Y MASCARPONE

12-16 higos frescos, según el tamaño

2 cucharadas de miel

1 cucharada de piñones

½ taza de queso mascarpone o ricotta

Preparación

1 Precalentar el horno a 180°C. Cortar los higos en cruz donde está el tallo y abrir ligeramente. Colocar todos los higos juntos en un refractario para que se mantengan erguidos.

2 Bañar con la miel adentro y alrededor de los higos, y hornear durante 10 minutos, hasta que se suavicen. Mientras, colocar una sartén a fuego medio y saltear en seco los piñones durante 2 minutos, revolviendo de vez en cuando, hasta que se doren.

3 Colocar 3-4 higos en cada plato individual, esparcir los piñones a su alrededor y servir acompañados de una cucharada de queso mascarpone. **Rinde 4 porciones**

FRUTAS AL GRATÍN

Ingredientes

4 yemas de huevo

½ taza de azúcar

1½ tazas de crema espesa

½ cucharadita de licor Kirsch

600g de mezcla de frutas frescas,
   en trozos

Preparación

1 Batir las yemas de huevo con el azúcar. Calentar la crema en una cacerola hasta el punto de ebullición e incorporar a la mezcla de huevo y azúcar. Devolver todo a la cacerola y calentar, sin dejar de revolver, hasta que hierva la mezcla; agregar el Kirsch. Bañar la fruta con la crema y colocar unos segundos bajo la parrilla. **Rinde 4 porciones**

PASTEL DE YOGUR Y SÉMOLA CON LIMÓN

Ingredientes

125g de mantequilla, suavizada

¾ taza de azúcar refinada

ralladura fina de 1 limón

4 huevos

1 taza de sémola de trigo fina

2 cucharaditas de polvo para hornear

1 taza de harina de almendra

1 taza de pasas

½ taza de almendras, fileteadas

¾ taza de yogur

Miel

1 taza de azúcar refinada

1 taza de jugo de limón

½ taza de miel

Preparación

1   Precalentar el horno a 180°C. Engrasar un molde para pastel de 20cm y forrar con papel encerado.

2   Con la batidora eléctrica, batir la mantequilla, el azúcar y la ralladura de limón hasta que estén suaves y ligeras.

3   Agregar los huevos uno por uno, y batir bien después de añadir cada huevo.

4   Incorporar la sémola, el polvo para hornear y la harina de almendras. Agregar las pasas poco a poco, las almendras y el yogur.

5   Verter la mezcla en el molde preparado y hornear durante 35-45 minutos, o hasta que el pastel esté ligeramente dorado por encima.

6   Para preparar la miel, revolver el azúcar, el jugo de limón y la miel en una cacerola chica. Cocinar a fuego lento durante 15-20 minutos, hasta que se forme una miel espesa.

7   Con un tenedor, picar el pastel de manera uniforme. Dejar enfriar un poco la miel y bañar el pastel; adornar con ralladura de limón. Servir con crema. **Rinde 8 porciones**

ZABAGLIONE DE MARACUYÁ CON MORAS FRESCAS

Ingredientes

5 yemas de huevo
½ taza de azúcar refinada
½ taza de vino Marsala
1⅔ taza de pulpa de maracuyá

125g de arándanos
150g de frambuesas
150g de fresas

Preparación

1 Revolver las yemas de huevo con el azúcar en un tazón refractario, y batir hasta que la mezcla esté pálida y espesa. Incorporar el Marsala, sin dejar de batir; colocar el tazón dentro de una cacerola con agua hirviendo. Continuar batiendo durante 15 minutos, o hasta que la mezcla esté muy espesa, sin permitir que el tazón se caliente demasiado. La mezcla está lista cuando se forman suaves burbujas.

2 Retirar el tazón del calor, y continuar batiendo durante 5 minutos más, o hasta que se enfríe la mezcla. Incorporar la pulpa de maracuyá y servir con las moras frescas. **Rinde 4 porciones**

Para un zabaglione de vainilla, cambiar la pulpa de maracuyá por semillas de 1 vara de vainilla, abriendo la vara por el centro y raspando para sacar las semillas.

cocina selecta

lo esencial

AIOLÍ DE ALBAHACA

Ingredientes

1 taza de albahaca

½ taza de aceite de oliva

1 diente de ajo, machacado

2 yemas de huevo

3 cucharaditas de jugo de limón

1 cucharada de agua

pimienta negra recién molida

Preparación

1 En el procesador de alimentos, colocar la albahaca, una cucharada de aceite, el ajo, las yemas de huevo y el jugo de limón. Procesar hasta revolver bien.

2 Con el motor encendido, agregar el resto del aceite en hilillo, y procesar hasta que espese. Añadir agua para hacer un aolí más líquido.

3 Agregar sal y pimienta al gusto. **Rinde 1½ tazas**

PAPAS PARMESANAS

Ingredientes

400g de papas, peladas y en cubos

1 cucharada de aceite de oliva

1 cucharada de mantequilla

40g de queso parmesano, rallado

Preparación

1 Colocar las papas en una cacerola con agua con sal y hervir hasta que estén casi cocidas, pero un poco duras del centro. Escurrir

2 Calentar el aceite y la mantequilla en una cacerola; agregar las papas y cocinar hasta que se doren. Añadir el queso y cocinar hasta que las papas estén crujientes. **Rinde 4 porciones**

SALSA PESTO

Ingredientes

1½ tazas de albahaca

¼ taza de piñones, tostados

2 dientes de ajo, en trozos grandes

20g de queso parmesano, rallado

20g de queso pecorino o de cabra, rallado

⅓ taza de aceite de oliva

sal y pimienta negra recién molida

Preparación

1 Colocar la albahaca, los piñones, el ajo y los quesos en el procesador de alimentos, y procesar hasta formar una pasta.

2 Con el motor encendido, agregar el aceite en hilillo, y procesar hasta que se revuelva bien.

3 Sazonar con sal y pimienta al gusto.

4 Guardar en el refrigerador, con un poco de aceite de oliva encima para evitar que la albahaca se ennegrezca. El pesto puede congelarse. **Rinde ¾ taza**

PAPAS AL HORNO CON ROMERO

Ingredientes

1kg de papas, peladas y en cubos

1 cucharada de aceite de oliva

½ cucharadita de sal de mar

1 rama de romero, sin hojas y picada

Preparación

1 Precalentar el horno a 200°C.

2 Colocar las papas en un molde y revolver con el aceite, sal y romero.

3 Hornear durante 45-60 minutos. **Rinde 4 porciones**

MASA PARA PIZZA

Ingredientes

2 tazas de agua tibia

1 bolsita de levadura seca

1 cucharadita de azúcar refinada

1kg de harina de trigo para pan (900g para la masa, 100g extra)

1 cucharada de aceite de oliva extra virgen

2 cucharaditas de sal de mar

Preparación

1 Mezclar el agua con la levadura y el azúcar en un tazón; agregar 400g de harina y revolver hasta que la mezcla sea una pasta escurridiza.

2 Poco a poco, agregar los otros 500g de harina, después el aceite y la sal, y amasar con las manos hasta formar una pelota. Amasar con las manos durante 10 minutos, hasta que esté muy elástica y suave. Otra opción es usar la batidora eléctrica con las aspas para masa, y amasar a velocidad baja durante 10 minutos.

3 Tomar una porción de la masa y formar una pelota del tamaño de una naranja. Colocar en una charola enharinada y repetir hasta que se use toda la masa. Tapar la charola con un trapo húmedo y dejar en un lugar húmedo durante 2 horas, o hasta que la masa duplique su tamaño. **Rinde 8-10 pizzas**

PESTO DE TOMATES DESHIDRATADOS

60g de tomates deshidratados, escurridos

2 dientes de ajo, en trozos grandes

60g de alcaparras, escurridas

1 cucharada de jugo de limón

¼ taza de albahaca

¼ taza de perejil

¼ taza de perejil de hoja lisa

⅓ taza de aceite de oliva

sal y pimienta negra recién molida

Preparación

1 Colocar los tomates deshidratados, el ajo, las alcaparras, el jugo de limón, la albahaca y el perejil en el procesador de alimentos y procesar hasta que la mezcla parezca una pasta.

2 Agregar poco a poco el aceite de oliva, en hilillo, hasta que la pasta esté homogénea.

3 Añadir sal y pimienta al gusto.
Rinde ¾ taza

ADEREZO BALSÁMICO

Ingredientes

¼ taza de aceite de oliva extra virgen

1 cucharada de vinagre balsámico

½ cucharadita de azúcar

3 cucharaditas de aceite de ajonjolí

sal y pimienta

Preparación

1 Revolver todos los ingredientes en un tazón y batir con el tenedor hasta que espese.

2 Almacenar en un recipiente hermético en el refrigerador hasta una semana.
Rinde ¼ taza

CALDO BÁSICO DE RES Y DE TERNERA

Ingredientes

2 cebollas españolas o moradas, picadas

2 zanahorias, picadas

1 poro, rebanado

3 dientes de ajo, machacados

2kg de huesos mixtos de res y de ternera, en trozos

6 champiñones, picados

4 jitomates, picados

2 tallos de apio, picados

½ taza de perejil

1 hoja de laurel

1 rama de tomillo

granos de pimienta

Preparación

1 Precalentar el horno a 200°C. Colocar las cebollas, las zanahorias, el poro, el ajo y los huesos en una charola y asar durante 45 minutos, hasta que tengan buen color, sin estar quemados. Escurrir la grasa de la charola, pasar los huesos y las verduras a una cacerola grande, agregar el resto de los ingredientes y suficiente agua fría para cubrir.

2 Dejar que suelte el hervor, bajar la flama y cocinar a fuego lento, destapado, aproximadamente durante 4 horas. Retirar la grasa de la superficie según sea necesario. Quitar del fuego y colar antes de dejar enfriar. Sacar la grasa que se haya subido a la superficie o que se haya solidificado. Hervir para reducir el caldo, así se concentrará el sabor.

3 Refrigerar durante 2-3 días, o congelar. **Rinde 2 litros**

POLENTA DE AJO Y ALBAHACA AL HORNO

Ingredientes

3 tazas de caldo de pollo

1 taza de polenta instantánea

1 diente de ajo, molido

¼ taza de albahaca, picada

40g de queso pecorino o de cabra, rallado

sal y pimienta

Preparación

1 Engrasar ligeramente un molde de 25 x 20cm, y precalentar el horno a 180°C.

2 Verter el caldo en una cacerola, dejar que suelte el hervor y agregar poco a poco la polenta, revolviendo constantemente durante 5-10 minutos, o hasta que se separe de la cacerola.

3 Apagar la flama y añadir el ajo, la albahaca, el queso, la sal y la pimienta. Vaciar la polenta en el molde preparado y oprimir de manera uniforme sobre la base.

4 Hornear durante 30 minutos. Servir la polenta en triángulos.
Rinde 8 triángulos

POLENTA

1½ tazas de agua

1 cucharadita de sal

1 taza de polenta instantánea

2 dientes de ajo, molidos

60g de queso parmesano, rallado

Preparación

1 Engrasar ligeramente un molde de 25 x 20cm.

2 Poner a hervir agua con sal en una cacerola, y agregar poco a poco la polenta, revolviendo constantemente durante 3-5 minutos, o hasta que espese y se pegue. Apagar la flama y añadir el ajo y el parmesano.

3 Vaciar en el molde preparado y oprimir de manera uniforme sobre la base. Dejar enfriar y cortar en rebanadas. **Rinde 8 rebanadas**

ACEITE CON CHILE

Ingredientes

¼ taza de aceite de oliva extra virgen

2 chiles rojos, finamente picados

1 diente de ajo, machacado

3 ramas de romero, sin hojas y picadas

sal y pimienta negra recién molida

Preparación

1 En una cacerola chica, calentar el aceite a fuego lento; apagar la flama, agregar el chile y el ajo y dejar reposar 10 minutos para que los sabores se impregnen en el aceite.

2 Añadir el romero, la sal y la pimienta, y dejar enfriar.

3 Almacenar en un recipiente hermético. **Rinde ⅓ taza**

PESTO DE CRÈME FRÂICHE

Ingredientes

¼ taza de crema espesa

¼ taza de crema agria

2 cucharadas de salsa de pesto (ver página 168)

1 cucharadita de jugo de limón

sal y pimienta negra recién molida

Preparación

1 Colocar todos los ingredientes en un tazón y revolver hasta que la mezcla sea homogénea. Rinde ¾ taza

AJO ASADO CON TOMILLO

Ingredientes

3 cabezas enteras de ajos

¼ taza de aceite de oliva

4 ramas de tomillo, sin hojas y sin tallos

Preparación

1 Precalentar el horno a 180°C. Rebanar una parte de las cabezas de los ajos para que se vean las puntas de los dientes. Colocar las cabezas con el corte hacia arriba en una asadera; bañar con un poco de aceite de oliva y espolvorear con el tomillo.

2 Tapar con papel aluminio y asar hasta que se suavicen, se doren y suelten un poco de aroma, 45-60 minutos aproximadamente.

3 Dejar enfriar, sacar los dientes de ajo, envolver en plástico adherente y refrigerar hasta 1 semana. **Rinde 4 porciones**

CALDO DE POLLO BÁSICO

Ingredientes

2kg de huesos de pollo

200g de alas de pollo

3 cebollas españolas o moradas, picadas

2 zanahorias, picadas

1 poro, rebanado

3 ramas de perejil

1 tallo de apio, picado

6 champiñones

1 hoja de laurel

1 rama de tomillo

granos de pimienta

Preparación

1 Colocar los huesos y las alas en una cacerola grande y cubrir con agua fría. Dejar que hierva a fuego lento y desgrasar bien.

2 Añadir el resto de los ingredientes y cocinar a fuego lento durante 3-4 horas. Colar el caldo y dejar enfriar. Quitar la grasa que haya subido a la superficie o que se haya solidificado. Hervir para reducir el caldo, eso hará que se concentre el sabor.

3 Refrigerar durante 2-3 días, o congelar. **Rinde 2 litros**

glosario

Aceite de ajonjolí tostado (también llamado aceite de ajonjolí oriental): aceite oscuro poliinsaturado con punto de ebullición bajo. No debe reemplazarse por aceite más claro.

Aceite de cártamo: aceite vegetal que contiene la mayor proporción de grasas poliinsaturadas.

Aceite de oliva: diferentes grados de aceite extraído de las aceitunas. El aceite de oliva extra virgen tiene un fuerte sabor afrutado y el menor grado de acidez. El aceite de oliva virgen es un poco más ácido y con un sabor más ligero. El aceite de oliva puro es una mezcla procesada de aceites de oliva, tiene el mayor grado de acidez y el sabor más ligero.

Acremar: hacer suave y cremoso al frotar con el dorso de una cuchara o al batir con una batidora. Por lo general se aplica a la grasa y al azúcar.

Agua acidulada: agua con un ácido añadido, como jugo de limón o vinagre, que evita la decoloración de los ingredientes, en particular de la fruta o las verduras. La proporción de ácido con agua es 1 cucharadita por cada 300ml.

A la diabla: platillo o salsa ligeramente sazonado con un ingrediente picante como mostaza, salsa inglesa o pimienta de Cayena.

Al dente: término italiano para cocinar que se refiere a los ingredientes cocinados hasta que estén suaves, pero firmes al morderlos, por lo general se aplica para la pasta.

Al gratin: alimentos espolvoreados con pan molido, por lo general cubiertos de una salsa de queso que se dora hasta que se forma una capa crujiente.

Amasar: trabajar la masa usando las manos, aplicando presión con la palma de la mano, y estirándola y doblándola.

Américaine: método para servir pescados y mariscos, por lo general langostas y rapes, en una salsa de aceite de oliva, hierbas aromáticas, tomates, vino tinto, caldo de pescado, brandy y estragón.

Anglaise: estilo de cocinar que se refiere a platillos cocidos simples, como verduras hervidas. Assiette anglaise es un plato de carne cocida fría.

Antipasto: término italiano que significa "antes de la comida", se refiere a una selección de carnes frías, verduras, quesos, por lo general marinados, que se sirven como entremés. Un antipasto típico incluye salami, prosciutto, corazones de alcachofa marinados, filetes de anchoas, aceitunas, atún y queso provolone.

Asafétida: planta herbácea perenne nativa de Irán. La savia seca se usa como especia. Tiene un sabor parecido a la cebolla y al ajo.

Bañar: humedecer la comida durante la cocción vertiendo o barnizando líquido o grasa.

Baño María: una cacerola dentro de una sartén grande llena de agua hirviendo para mantener los líquidos en punto de ebullición.

Batir: agitar vigorosamente. Mover rápidamente para incorporar aire y provocar que el ingrediente se expanda.

Beurre manié: cantidades iguales de mantequilla y harina amasadas y añadidas, poco a poco, para espesar un caldo.

Blanc: líquido que se hace al añadir harina y jugo de limón al agua para evitar que ciertos alimentos se decoloren durante la cocción.

Blanquear: sumergir en agua hirviendo y después, en algunos casos, en agua fría. Las frutas y las nueces se blanquean para quitarles la piel con mayor facilidad.

Blanquette: estofado blanco de cordero, ternera o pollo cubiertos de yemas de huevo y crema, acompañado de cebolla y champiñones.

Bonne femme: platos cocinados al tradicional estilo francés del "ama de casa". El pollo y el cerdo bonne femme se acompañan de tocino, papas y cebollas baby; el pescado bonne femme con champiñones en una salsa de vino blanco.

Bouquet garni: un conjunto de hierbas, por lo general de ramitas de perejil, tomillo, mejorana, romero, una hoja de laurel, granos de pimienta y clavo en un pequeño saco que se utiliza para dar sabor a estofados y caldos.

Brasear: cocer piezas enteras o grandes de aves, animales de caza, pescados, carnes o verduras en una pequeña cantidad de vino, caldo u otro líquido en una cacerola cerrada. El ingrediente principal se fríe primero en grasa y se cuece al horno o sobre la estufa. Esta técnica es ideal para carnes duras y aves maduras, produce una rica salsa.

Caldo: líquido que resulta de cocer carnes, huesos y/o verduras en agua para hacer una base para sopas y otras recetas. Se puede sustituir el caldo fresco por caldo en cubitos, aunque es necesario verificar el contenido de sodio para las dietas reducidas en sal.

Calzone: paquetito semicircular de masa para pizza relleno de carne o verduras, sellado y horneado.

Caramelizar: derretir el azúcar hasta que forme un jarabe dorado-café.

Carne magra: la grasa y los cartílagos son retirados de la carne de un hueso y la carne queda virtualmente sin grasa.

Cernir: pasar una sustancia seca en polvo por un colador para retirar grumos y que sea más ligera.

Chasseur: término francés que significa "cazador". Es un estilo de platillo en el que se cuecen carnes y pollos con champiñones, cebollas de cambray, vino blanco y tomate.

Concasser: picar grueso, por lo general se refiere a tomates.

Confitar: significa preservar; alimentos en conserva al cocerlos de manera muy lenta hasta que estén tiernos. En el caso de la carne, como la carne de pato o de ganso, se cuece en su propia grasa para que la carne no entre en contacto con el aire. Algunas verduras como la cebolla se hacen confitadas.

Consomé: sopa ligera hecha, por lo general, de res.

Couli: puré ligero hecho de frutas o verduras frescas o cocidas, con la consistencia suficiente para ser vertido. Su consistencia puede ser rugosa o muy suave.

Crepa: mezcla dulce o salada con forma de disco plano.

Crudités: verduras crudas cortadas en rebanadas o tiras para comer solas o con salsa, o verduras ralladas como ensalada con un aderezo sencillo.

Crutones: pequeños cubos de pan tostados o fritos.

Cuajar: hacer que la leche o una salsa se separe en sólido y líquido, por ejemplo, mezclas de huevo sobrecocidas.

Cubrir: forrar con una ligera capa de harina, azúcar, nueces, migajas, semillas de ajonjolí o de amapola, azúcar con canela o especias molidas.

Cuscús: cereal procesado a partir de la sémola, tradicionalmente se hierve y se sirve con carne y verduras, es el típico platillo del norte de África.

Decorar: adornar la comida, por lo general se usa algo comestible.

Derretir: calentar hasta convertir en líquido.

Desglasar: disolver el jugo de cocción solidificado en la sartén al añadirle líquido, raspar y mover vigorosamente mientras el líquido suelta el hervor. Los jugos de cocción se pueden usar para hacer gravy o para añadirse a la salsa. Retirar la grasa de la superficie de un líquido. Si es posible, el líquido debe estar frío para que la grasa esté sólida. En caso contrario, retirar la grasa con una cuchara grande de metal y pasar un pedazo de papel absorbente por la superficie del líquido para retirar los restos.

Desmenuzar: separar en pequeños trocitos con un tenedor.

Despiezar: cortar las aves, animales de caza o animales pequeños en piezas divididas en los puntos de las articulaciones.

Disolver: mezclar un ingrediente seco con líquido hasta que se absorba.

Emulsión: mezcla de dos líquidos que juntos son indisolubles, como el agua y el aceite.

En cubos: cortar en piezas con seis lados iguales.

Engrasar: frotar o barnizar ligeramente con aceite o grasa.

Ensalada mixta: guarnición de verduras, por lo general zanahorias, cebollas, lechuga y jitomate rojo.

Entrada: en Europa significa aperitivo, en Estados Unidos significa plato principal.

Escaldar: llevar justo al punto de ebullición, por lo general se usa para la leche. También significa enjuagar en agua hirviendo.

Espesar: hacer que un líquido sea más espeso al mezclar arrurruz, maicena o harina en la misma cantidad de agua fría y verterla al líquido caliente, cocer y revolver hasta que espese.

Espolvorear: esparcir o cubrir ligeramente con harina o azúcar glas.

Espumar: retirar una superficie (por lo general, de impurezas) de un líquido, usando una cuchara o pala pequeña.

Fenogreco: pequeña hierba de la familia del chícharo. Sus semillas se usan para sazonar. El fenogreco molido tiene un fuerte sabor dulce, como a maple picante y amargo, su aroma es de azúcar quemada.

Fibra dietética: parte de algunos alimentos que el cuerpo humano no digiere o lo hace parcialmente y que promueve la sana digestión de otras materias alimenticias.

Filete: corte especial de la res, cordero, cerdo, ternera, pechuga de aves, pescado sin espinas cortado a lo largo.

Fileteado: rebanado en trozos largos y delgados, se refiere a las nueces, en especial a las almendras.

Flamear: prender fuego al alcohol sobre la comida.

Fondo: líquido en el que el pescado, las aves o la carne es cocido. Consiste en agua con hojas de laurel, cebolla, zanahoria, sal y pimienta negra recién molida. Entre otros ingredientes se incluyen vino, vinagre, caldo, ajo o cebollas de cambray.

Forrar: cubrir el interior de un recipiente con papel para proteger o facilitar el desmolde.

Freír: cocer en una pequeña cantidad de grasa hasta que dore.

Freír revolviendo: cocer rebanadas delgadas de carne y verduras a fuego alto con una pequeña cantidad de aceite, sin dejar de revolver. Tradicionalmente se fríe en un wok, aunque se puede usar una sartén de base gruesa.

Fricassée: platillo que incluye aves, pescado o verduras con salsa blanca o veloute. En Gran Bretaña y

Estados Unidos, el nombre se aplica a un antiguo platillo de pollo en una salsa cremosa.

Frotar: método para incorporar grasa con harina usando sólo las puntas de los dedos. También incorpora aire a la mezcla.

Galangal: miembro de la familia del jengibre conocido popularmente como jengibre de Laos. Tiene un ligero sabor a pimienta con matices de jengibre.

Ganache: relleno o glasé hecho de crema entera, chocolate y/u otros sabores que se usa para cubrir las capas de algunos pasteles de chocolate.

Glaseado: cubierta delgada de huevo batido, jarabe o gelatina que se barniza sobre galletas, frutas o carnes cocidas.

Gluten: proteína de la harina que se desarrolla al amasar la pasta y la hace elástica.

Grasa poliinsaturada: uno de los tres tipos de grasas que se encuentran en la comida. Se encuentra en grandes cantidades en aceites vegetales como el aceite de cártamo, de girasol, de maíz y de soya. Este tipo de grasa disminuye el nivel de colesterol en la sangre.

Grasa total: ingesta diaria individual de los tres tipos de grasa descritos. Los nutriólogos recomiendan que la grasa aporte no más del 35 por ciento de la energía diaria de la dieta.

Grasas monoinsaturadas: uno de los tres tipos de grasas que se encuentran en los alimentos. Se cree que este tipo de grasas no eleva el nivel de colesterol en la sangre.

Grasas saturadas: uno de los tres tipos que encontramos en los alimentos. Existen en grandes cantidades en productos animales, en aceites de coco y palma. Aumentan los niveles de colesterol en la sangre. Puesto que los niveles altos de colesterol causan enfermedades cardiacas, el consumo de grasas saturadas debe ser menor al 15 por ciento de la ingesta diaria de calorías.

Gratinar: platillo cocido al horno o bajo la parrilla de manera que desarrolla una costra color café. Se hace espolvoreando queso o pan molido sobre el platillo antes de hornear. La costra gratinada queda muy crujiente.

Harina sazonada: harina a la que se añade sal y pimienta.

Hervir a fuego lento: cocer suavemente la comida en líquido que burbujea de manera uniforme justo antes del punto de ebullición para que se cueza parejo y que no se rompa.

Hojas de parra: hojas tiernas de vid, con sabor ligero, que se usan para envolver mezclas. Las hojas deben lavarse bien antes de usarse.

Humedecer: devolver la humedad a los alimentos deshidratados al remojarlos en líquido.

Incorporar ligeramente: combinar moderadamente una mezcla delicada con una mezcla más sólida, se usa una cuchara de metal.

Infusionar: sumergir hierbas, especias u otros saborizantes en líquidos calientes para darle sabor. El proceso tarda de 2 a 5 minutos, dependiendo del sabor. El líquido debe estar muy caliente sin que llegue a hervir.

Juliana: cortar la carne en tiras del tamaño de un cerillo.

Laqueado: azúcar caramelizada desglasada con vinagre que se usa en las salsas de múltiples sabores para platillos como pato a la naranja.

Licuar: mezclar completamente.

Macerar: remojar alimentos en líquido para ablandarlos.

Mantequilla clarificada: derretir la mantequilla y separar el aceite del sedimento.

Mantequilla clarificada por ebullición: proceso que consiste en separar la mantequilla (sólido y líquido) al hervirla.

Marcar: hacer cortes superficiales en la comida para evitar que se curve o para hacerla más atractiva.

Marinada: líquido sazonado, por lo general es una mezcla aceitosa y ácida, en el que se remojan los alimentos para suavizarlos y darles más sabor.

Marinar: dejar reposar los alimentos en una marinada para sazonarlos y suavizarlos.

Marinara: estilo "marinero" italiano de cocinar que no se refiere a ninguna combinación especial de ingredientes. La salsa marinara de tomate para pasta es la más común.

Mariposa: corte horizontal en un alimento de manera que, al abrirlo, queda en forma de alas de mariposa. Los filetes, los langostinos y los pescados gruesos por lo general se cortan en mariposa para que se cuezan más rápido.

Mechar: introducir. Por ejemplo, introducir clavos al jamón horneado.

Mezclar: combinar los ingredientes al revolverlos.

Molde: pequeño recipiente individual para hornear de forma oval o redonda.

Nicoise: clásica ensalada francesa que consiste en tomates rojos, ajo, aceitunas negras, anchoas, atún y judías.

Noisette: pequeña "nuez" de cordero cortada del lomo o costillar que se enrolla y se corta en rebanadas. También significa dar sabor con avellanas o mantequilla cocida hasta que se obtenga un color café avellana.

Normande: estilo para cocinar pescado con acompañamiento de camarones, mejillones y champiñones en vino blanco o salsa cremosa; para aves y carnes con una salsa con crema, brandy calvados y manzana.

Pan naan: pan ligeramente fermentado que se utiliza en la cocina india.

Papillote: cocer la comida en papel encerado o papel de aluminio barnizado con grasa o mantequilla. También se refiere a la decoración que se coloca para cubrir los extremos de las patas de las aves.

Paté: pasta hecha de carne o mariscos que se usa para untar sobre pan tostado o galletas.

Paupiette: rebanada delgada de carne, aves o pescado untada con un relleno y enrollada. En Estados Unidos se le llama "bird" y en Gran Bretaña "olive".

Pelar: quitar la cubierta exterior.

Picar fino: cortar en trozos muy pequeños.

Pochar: hervir ligeramente en suficiente líquido caliente para que cubra al alimento, con cuidado de mantener su forma.

Puré: pasta suave de verduras o frutas que se hace al pasar los alimentos por un colador, licuarlos o procesarlos.

Quemar las plumas: flamear rápidamente las aves para eliminar los restos de las plumas después de desplumar.

Queso bocconcini: se puede sustituir por el queso mozzarella.

Rábano daikon: rábano japonés que es blanco y largo.

Ragú: tradicionalmente, cocido sazonado que contiene carne, verduras y vino. Hoy en día se aplica el término a cualquier mezcla cocida.

Ralladura: delgada capa exterior de los cítricos que contiene el aceite cítrico. Se obtiene con un pelador de verduras o un rallador para separarla de la cubierta blanca debajo de la cáscara.

Reducir: cocer a fuego muy alto, sin tapar, hasta que el líquido se reduce por evaporación.

Refrescar: enfriar rápidamente los alimentos calientes, ya sea bajo el chorro de agua fría o al sumergirlos en agua con hielo, para evitar que sigan cociéndose. Se usa para verduras y algunas veces para bivalvos.

Revolcar: cubrir con un ingrediente seco, como harina o azúcar.

Revolver: mezclar ligeramente los ingredientes usando dos tenedores o un tenedor y una cuchara.

Rociar: verter con un chorro fino sobre una superficie.

Roulade: masa o trozo de carne, por lo general de cerdo o ternera, relleno, enrollado y braseado o pochado.

Roux: para integrar salsas y se hace de harina con mantequilla o alguna otra sustancia grasosa, a la que se añade un líquido caliente. Una salsa con base de roux puede ser blanca, rubia o dorada, depende de la cocción de la mantequilla.

Rúcula: puede aparecer con este nombre o como arúgula.

Salsa: jugo derivado de la cocción del ingrediente principal, o salsa añadida a un platillo para aumentar su sabor. En Italia el término suele referirse a las salsas para pasta.

Saltear: cocer o dorar en pequeñas cantidades de grasa caliente.

Sancochar: hervir o hervir a fuego lento hasta que se cueza parcialmente (más cocido que al blanquear).

Sartén de base gruesa: cacerola pesada con tapa hecha de hierro fundido o cerámica.

Sellar: dorar rápidamente la superficie a fuego alto.

Souse: cubrir la comida, en especial el pescado, con vinagre de vino y especias y cocer lentamente, la comida se enfría en el mismo líquido.

Sudar: cocer alimentos rebanados o picados, por lo general verduras, en un poco de grasa y nada de líquido a fuego muy lento. Se cubren con papel aluminio para que la comida se cueza en sus propios jugos antes de añadirla a otros ingredientes.

Suero de leche: cultivo lácteo de sabor penetrante, su ligera acidez lo hace una base ideal para marinadas para aves.

Sugo: salsa italiana hecha del líquido o jugo extraído de la fruta o carne durante la cocción.

Timbal: mezcla cremosa de verduras o carne horneada en un molde. También se refiere a un platillo horneado en forma de tambor de la cocina francesa.

Trigo bulgur: tipo de trigo en el que los granos se cuecen al vapor y se secan antes de ser machacados.

Verduras crucíferas: ciertos miembros de la familia de la mostaza, la col y el nabo con flores cruciformes y fuertes aromas y sabores.

Vinagre balsámico: vinagre dulce, extremadamente aromático, con base de vino que se elabora en el norte de Italia. Tradicionalmente, el vinagre se añeja durante 7 años, por lo menos, en barriles de diferentes tipos de madera.

Vinagre de arroz: vinagre aromático que es menos dulce que el vinagre de sidra y no tan fuerte como el vinagre de malta destilado. El vinagre de arroz japonés es más suave que el chino.

índice

pesos y medidas

Cocinar no es una ciencia exacta, no son necesarias básculas calibradas, ni tubos de ensayo ni equipo científico para cocinar, aunque la conversión de las medidas métricas en algunos países y sus interpretaciones pueden intimidar a cualquier buen cocinero.

En las recetas se dan los pesos para ingredientes como carnes, pescados, aves y algunas verduras, pero en la cocina convencional, unos gramos u onzas de más o de menos no afectan el éxito de tus platillos.

Aunque las recetas se probaron con el estándar australiano de 1 taza/250ml, 1 cucharada/20ml y 1 cucharadita/5ml, funcionan correctamente para las medidas de Estados Unidos y Canadá de 1 taza/8fl oz, o del Reino Unido de 1 taza/300ml. Preferimos utilizar medidas de tazas graduadas y no de cucharadas para que las proporciones sean siempre las mismas. Donde se indican medidas en cucharadas, no son medidas exactas, de manera que si usas la cucharada más pequeña de EU o del Reino Unido el sabor de la receta no cambia. Por lo menos estamos todos de acuerdo en el tamaño de la cucharadita.

En el caso de panes, pasteles y galletas, la única área en la que puede haber confusión es cuando se usan huevos, puesto que las proporciones varían. Si tienes una taza medidora de 250ml o de 300ml, utiliza huevos grandes (65g/2¼ oz) y añade un poco más de líquido a la receta para las medidas de tazas de 300ml si crees que es necesario. Utiliza huevos medianos (55g/2oz) con una taza de 8fl oz. Se recomienda usar tazas y cucharas graduadas, las tazas en particular para medir ingredientes secos. No olvides nivelar estos ingredientes para que la cantidad sea exacta.

Medidas inglesas

Todas las medidas son similares a las australianas, pero hay dos excepciones: la taza inglesa mide 300ml/10½ fl oz, mientras que las tazas americana y australiana miden 250ml/8¾ fl oz. La cucharada inglesa mide 14.8ml/½ fl oz y la australiana mide 20ml/¾ fl oz. La medida imperial es de 20fl oz para una pinta, 40fl oz para un cuarto y 160fl oz para un galón.

Medidas americanas

La pinta americana es de 16fl oz, un cuarto mide 32fl oz y un galón americano es de 128fl oz; la cucharada americana es igual a 14.8ml/½ fl oz, la cucharadita mide 5ml/⅙ fl oz. La medida de la taza es de 250ml/8¾ fl oz.

Medidas secas

Todas las medidas son niveladas, así que cuando llenes una taza o cuchara nivélala con la orilla de un cuchillo. La siguiente escala es el equivalente para cocinar, no es una conversión exacta del sistema métrico al imperial. Para calcular el equivalente exacto multiplica las onzas por 28.349523 para obtener gramos, o divide 28.349523 para obtener onzas.

Métrico gramos (g), kilogramos (kg)	Imperial onzas (oz), libras (lb)
15g	½ oz
20g	⅓ oz
30g	1 oz
55g	2 oz
85g	3 oz
115g	4 oz/¼ lb
125g	4½ oz
140/145g	5 oz
170g	6 oz
200g	7 oz
225g	8 oz/½ lb
315g	11 oz
340g	12 oz/¾ lb
370g	13 oz
400g	14 oz
425g	15 oz
455g	16 oz/1 lb
1,000g/1kg	35⅓ oz/2¼ lb
1½kg	3⅓ lb

Temperaturas del horno

Las temperaturas en grados Centígrados no son exactas, están redondeadas y se dan sólo como guía. Sigue las indicaciones de temperatura del fabricante del horno en relación a la descripción del horno que se da en la receta. Recuerda que los hornos de gas son más calientes en la parte superior; los hornos eléctricos son más calientes en la parte inferior y los hornos con ventilador son más uniformes. Para convertir °C a °F multiplica los °C por 9, divide el resultado entre 5 y súmale 32.

	C°	F°	Gas regulo
Muy ligero	120	250	1
Ligero	150	300	2
Moderadamente ligero	160	325	3
Moderado	180	350	4
Moderadamente caliente	190–200	370–400	5–6
Caliente	210–220	410–440	6–7
Muy caliente	230	450	8
Súper caliente	250–290	475–500	9–10